Steiner/Mittländer/Fischer (Hrsg.)

Einführung in das Arbeitsrecht

Grundwissen für neue Betriebsratsmitglieder

Band 6

AUF DEN PUNKT

In der Reihe *Auf den Punkt* erscheinen 8 Bände mit *Grundwissen für neue Betriebsratsmitglieder*:

Band 1 Mitbestimmung
Band 2 Betriebsratssitzung und Beschlussfassung
Band 3 Betriebsversammlung
Band 4 Rechte und Pflichten als Betriebsratsmitglied
Band 5 Einigungsstelle und Arbeitsgericht
Band 6 Einführung in das Arbeitsrecht
Band 7 Betriebsvereinbarung
Band 8 Das Einmaleins der Betriebswirtschaft

Mit Online-Quiz unter
www.bund-verlag.de/Einsteiger-Quiz

Außerdem sind in der Reihe *Auf den Punkt* erschienen:

Michael Bachner (Hrsg.): BetrVG für den Betriebsrat
Christopher Koll/Maike Koll: Lexikon für den Betriebsrat

Steiner/Mittländer/Fischer (Hrsg.)

Einführung in das Arbeitsrecht

Grundwissen für neue Betriebsratsmitglieder

Band 6

Die Autorinnen und der Autor: Regina Steiner (Kapitel I – II)
Jan Tretow (Kapitel III)
Friederike Boll (Kapitel IV – VI)

3., überarbeitete und aktualisierte Auflage

BUND
VERLAG

Bibliografische Informationen der Deutschen Nationalbibliothek
Die Deutsche Nationalbibliothek verzeichnet diese Publikation in der Deutschen Nationalbibliografie; detaillierte bibliografische Daten sind im Internet unter *http://dnb.d-nb.de* abrufbar.

3., überarbeitete und aktualisierte Auflage 2026

Umschlag: felixschramm Visuelle Kommunikation, Großostheim
Satz: Dörlemann Satz, Lemförde
Druck: CPI books GmbH, Birkstr. 10, 25917 Leck

ISBN 978-3-7663-7596-4

kontakt@bund-verlag.de
www.bund-verlag.de

Inhaltsverzeichnis

Abkürzungsverzeichnis

Abb.	Abbildung
Abs.	Absatz
AGB	allgemeine Geschäftsbedingungen
AGG	Allgemeines Gleichbehandlungsgesetz
ArbG	Arbeitsgericht
ArbGG	Arbeitsgerichtsgesetz
ArbPlSchG	Arbeitsplatzschutzgesetz
Art.	Artikel
AÜG	Arbeitnehmerüberlassungsgesetz
BAG	Bundesarbeitsgericht
BDSG	Bundesdatenschutzgesetz
BEM	betriebliches Eingliederungsmanagement
BetrVG	Betriebsverfassungsgesetz
BBiG	Berufsbildungsgesetz
BGB	Bürgerliches Gesetzbuch
Buchst.	Buchstabe
BVerfG	Bundesverfassungsgericht
DSGVO	Datenschutz-Grundverordnung
EuGH	Europäischer Gerichtshof
f.	folgende
ff.	fortfolgende
GG	Grundgesetz
KSchG	Kündigungsschutzgesetz
LAG	Landesarbeitsgericht

MuSchG	Mutterschutzgesetz
NachwG	Nachweisgesetz
Nr.	Nummer
o. Ä.	oder Ähnliches
Rn.	Randnummer
S.	Seite
sog.	sogenannte/r
TzBfG	Teilzeit- und Befristungsgesetz
u. a. m.	und anderes mehr
z. B.	zum Beispiel

I. Einführung

Dieser Band gibt eine erste Einführung in das Arbeitsrecht. Es werden zunächst die Grundbegriffe des Arbeitsrechts dargestellt. Hier wird eine Reihe von Begriffen erklärt, die man im Arbeitsleben sehr oft hört. Ein schwieriges Thema ist das Zusammenspiel der arbeitsrechtlichen Vorschriften: Was gilt eigentlich für mich als Arbeitnehmer[1], wenn in meinem Arbeitsvertrag etwas anderes steht als in einer Betriebsvereinbarung und dort nochmal etwas anderes als im gültigen Tarifvertrag? Das Kapitel danach beschäftigt sich mit dem Arbeitsverhältnis. Was ist ein Arbeitsverhältnis in Abgrenzung zur Selbstständigkeit und zu Werkverträgen? Was darf der Arbeitgeber im Bewerbungsgespräch alles fragen und wie werden Arbeitsverträge gestaltet? Im 5. Kapitel wird dargestellt, wie ein Arbeitsverhältnis zu Ende gehen kann. Der letzte große Teil des Bandes gibt einen Überblick über den Kündigungsschutz von Arbeitnehmern. Ein Teil davon beschäftigt sich mit dem hier bestehenden Sonderkündigungsschutz (wie z. B. Schwerbehinderung, Schwangerschaft u. a. m.). Dabei wurde allerdings der Sonderkündigungsschutz der Betriebsratsmitglieder ausgespart. Dieser findet sich im Band 4 dieser Reihe »Rechte und Pflichten als Betriebsratsmitglied«.

---

1 In diesem Werk wird der Einfachheit halber nur die männliche Form verwendet. Die Form schließt selbstverständlich alle Geschlechter mit ein.

II. Grundlagen und Grundbegriffe des Arbeitsrechts

1. Was ist Arbeitsrecht?

a. Die Anfänge des Arbeitsrechts

BGB Das Bürgerliche Gesetzbuch (BGB) trat am 1. Januar 1900 in Kraft und legt allen Verträgen das Prinzip der Vertragsfreiheit zugrunde. Darunter versteht man, dass die Vertragsschließenden die Bedingungen für ihren Vertrag frei vereinbaren können. Der Staat soll sich dabei nicht einmischen. Dieses Konzept ist nur dann ein gutes Konzept, wenn beide Vertragspartner sich auf Augenhöhe begegnen und der eine Vertragspartner nicht auf Grund seiner wirtschaftlichen Stärke die Vertragsbedingungen diktieren kann.

»Arbeitsrecht ist Abwehrrecht« Das BGB hatte bei Inkrafttreten ca. 20 Paragrafen, die sich mit dem Dienstvertrag (so nannte man damals den Arbeitsvertrag) beschäftigten. Dabei ist es bis heute im Wesentlichen geblieben. Es gibt zurzeit 24 Vorschriften im BGB zum Arbeitsvertrag. Dass in einem Arbeitsverhältnis die Vertragsfreiheit nicht funktionieren kann, liegt auf der Hand. Kein Arbeitnehmer ist in der Lage, seine Arbeitsbedingungen selbst auszuhandeln. Arbeitsverträge unterschreibt man in der Regel so wie man sie vorgelegt bekommt. Anderenfalls geht der Arbeitsplatz an jemand anderen. Das Prinzip der Vertragsfreiheit im Arbeitsleben bedeutet Freiheit für den Arbeitgeber, die Bedingungen zu bestimmen unter denen gearbeitet wird. Bis zu Beginn der Weimarer Republik 1918 gab es so gut wie keine Arbeitsgesetze. 1853 wurde die Kinderarbeit verboten, aber nur für Kinder unter 9 Jahren. Erst 1910 wurde für Kinder und Jugendliche der Arbeitstag auf 10 Stunden begrenzt. Erst 1918 gelang es der Arbeiterbewegung den 8-Stunden-Tag durchzusetzen. Man kann sagen, seit der gescheiterten bürgerlichen Revolution gibt es in Deutschland Arbeitsrecht, das die Vertragsfreiheit der Arbeitgeber einschränkt und **soziale Schutzrechte** in unterschiedlich guter Ausprägung für die Arbeitnehmer kennt. Aus Sicht der Arbeitnehmer kann man das kurz mit der Formel »Arbeitsrecht ist Abwehrrecht« beschreiben.

b. Individualarbeitsrecht

Das Arbeitsrecht gliedert sich in das Individualarbeitsrecht und das Kollektivarbeitsrecht. Das Individualarbeitsrecht beschäftigt sich mit dem Verhältnis zwischen dem **einzelnen Arbeitnehmer** und dem Arbeitgeber. Dessen vertragliche Grundlage ist der Arbeitsvertrag.

c. Kollektivarbeitsrecht

Zum Kollektivarbeitsrecht zählt man die Beziehungen zwischen Arbeitgeber und **Betriebsrat**. Hier ist ein Kollektiv, nämlich die gesamte Belegschaft oder Teile davon, betroffen. Vereinbarungen zwischen Arbeitgeber und Betriebsrat können in Betriebsvereinbarungen und Regelabsprachen festgehalten werden.
Auch die Beziehungen zwischen Arbeitgebern bzw. Arbeitgeberverbänden und **Gewerkschaften** zählen zum kollektiven Arbeitsrecht. Diese Vereinbarungen werden in aller Regel in Tarifverträgen festgehalten.

2. Rechtsquellen des Arbeitsrechts

Verhältnis der Normen zueinander

Das Individual- und das Kollektivarbeitsrecht bestehen aus einer Vielzahl von Normen. Darunter fallen die Gesetze und Vorschriften, die auf Grund von Gesetzen ergangen sind. Aber auch andere Rechtsquellen wie der Arbeitsvertrag, die Betriebsvereinbarung und der Tarifvertrag gehören dazu. Alle wirken sich auf das einzelne Arbeitsverhältnis aus.
Diese Normen haben ein bestimmtes Verhältnis zueinander. Dieses Verhältnis ist wichtig, um zu bestimmen, welche Norm nun gilt, wenn sich zwei oder mehr Normen **widersprechen**.

a. Die Normenpyramide

Sehr anschaulich, wenn auch stark vereinfacht, lässt sich das Verhältnis der Normen zueinander in einer Pyramide darstellen:

Erläuterungen:

1. **Europarecht:** Darunter versteht man in diesem Zusammenhang alle europarechtlichen Vorschriften, die in der Bundesrepublik Deutschland beachtet werden müssen. Sie werden meistens Richtlinien genannt.

2. **Grundgesetz:** Die Verfassung der Bundesrepublik Deutschland heißt Grundgesetz. Eine Verfassung regelt den grundlegenden Aufbau des Staates. Dort finden sich auch die Menschen- und Bürgerrechte, auf die sich die Menschen, die in diesem Staat leben, berufen können. Für das Arbeitsrecht besonders wichtig sind: das Recht auf freie Entfaltung der Persönlichkeit, das Verbot von Diskriminierung, die Glaubens- und Gewissensfreiheit, die Meinungsfreiheit und die Freiheit, sich in Gewerkschaften zusammenzuschließen (sogenannte Koalitionsfreiheit).

3. **Gesetze:** Das sind Rechtsnormen, die auf Bundesebene oder Landesebene von den Parlamenten erlassen werden und keinen Verfassungsrang haben, sogenannte einfache Gesetze. Dazu zählen z. B. das Betriebsverfassungsgesetz (BetrVG), das BGB, das Kündigungsschutzgesetz, das Teilzeit- und Befristungsgesetz und viele andere mehr.

4. **Rechtsverordnungen:** Sie werden von Stellen erlassen, die dafür durch ein Gesetz beauftragt worden sind. Es gibt gerade auf dem Gebiet des Arbeitsschutzes eine Fülle von Verordnungen, z. B. die Bildschirmarbeitsverordnung, die Gefahrstoffverordnung, die Lärm- und Vibrationsarbeitsschutzverordnung u. v. m. Diese Verordnungen gelten wie Gesetze und müssen zwingend eingehalten werden.

5. **Tarifvertrag:** Das ist ein Vertrag zwischen Gewerkschaften und Arbeitgeberverbänden oder einzelnen Arbeitgebern. Dort werden i. d. R. die Arbeitsbedingungen einer bestimmten Branche geregelt. Von besonders großem Interesse für die Beschäftigten sind dabei die Regelungen zum Entgelt und zur Arbeitszeit.

Näheres zu Betriebsvereinbarungen in Band 7

6. **Betriebsvereinbarung:** Sie werden zwischen Betriebsrat und Arbeitgeber geschlossen. Dort können die Arbeitsbedingungen für einen bestimmten Betrieb geregelt werden, soweit sie nicht durch einen Tarifvertrag geregelt sind oder üblicherweise durch einen Tarifvertrag geregelt werden.

7. **Arbeitsvertrag:** Das ist die Vereinbarung, die zwischen Beschäftigtem und Arbeitgeber zu Stande kommt. Die Vereinbarung kann schriftlich oder mündlich erfolgen. Dort sind die Arbeitsbedingungen für den einzelnen Arbeitnehmer geregelt. Typischerweise enthält ein Arbeitsvertrag Vereinbarungen zum Umfang der Arbeitszeit, zur Höhe des Entgelts, zur Art der Tätigkeit, zum Urlaub, zu den Kündigungsfristen u. a. m.

b. Vier Grundregeln zur Normenpyramide

1. Grundregel:

Oben schlägt unten

Innerhalb der Normenpyramide darf keine Norm gegen eine **höherrangige** Norm verstoßen. Kurz gesagt: »oben schlägt unten«.

> **Beispiel:**
> Herr Pech war schon lange arbeitslos. Endlich hat er einen Job gefunden. In seinem neuen Arbeitsvertrag ist geregelt, dass er jede Woche 50 Stunden arbeiten muss.
> Im Arbeitszeitgesetz steht jedoch, dass die werktägliche Arbeitszeit 8 Stunden beträgt. Dabei gelten als Werktage Montag bis Samstag. Nur vorübergehend kann die Arbeitszeit auf 60 Stunden pro Woche erhöht werden. Der Arbeitsvertrag verstößt damit gegen eine höherrangige Norm im Arbeitszeitgesetz. Deshalb gilt für Pech die 48-Stunden-Woche, wie im Gesetz, und nicht die Vorschrift aus dem Arbeitsvertrag.

2. Grundregel:

Günstigkeitsprinzip

Regelt eine Norm, die **unterhalb** einer anderen in der Normenpyramide steht, etwas Günstigeres für den Beschäftigten, dann gilt das Günstigere.

> **Beispiel:**
> Frau Alpha ist schon fünf Jahre bei der Schnell AG beschäftigt. Es gibt Gerüchte, dass Stellen gestrichen werden sollen. Sie möchte gerne wissen, wie lange in diesem Fall ihre Kündigungsfrist ist. Dazu schaut sie zunächst in ihren Arbeitsvertrag und stellt fest, dass die Kündigungsfrist einen Monat zum Monatsende beträgt. Im Bürgerlichen Gesetzbuch steht jedoch, dass sie zwei Monate zum Ende des Kalendermonats beträgt (die Kleinbetriebsklausel gilt für ihren Betrieb nicht). Dann gilt im Betrieb auch ein Tarifvertrag. In diesem Tarifvertrag ist geregelt, dass bei einer Betriebszugehörigkeit von fünf Jahren eine Kündigungsfrist von drei Monaten zum Monatsende gilt.
> Zunächst ist festzustellen, dass der Arbeitsvertrag gegen die Vorschrift aus dem Bürgerlichen Gesetzbuch verstößt. Damit gilt auf keinen Fall die Kündigungsfrist aus dem Arbeitsvertrag, denn das BGB ist die höhere Norm. Der Tarifvertrag steht zwar unter dem Gesetz und regelt ebenfalls etwas vom Gesetz Abweichendes. Aber bei der längeren Kündigungsfrist handelt es sich um eine für Frau Alpha günstigere Regelung. Deshalb gilt im Falle einer Kündigung des Arbeitgebers eine Frist von drei Monaten zum Monatsende.

3. Grundregel:

Ausnahme vom Günstigkeitsprinzip

Erlaubt eine höherrangige Norm ausdrücklich, dass eine untergeordnete Norm etwas schlechter regelt, gilt in diesem Fall das Günstigkeitsprinzip nicht. Die dritte Grundregel wird auch durch die Rechtsprechung des

Bundesarbeitsgerichts relativiert. Danach soll das Günstigkeitsprinzip nicht gelten, wenn der Arbeitsvertrag zulässt, dass arbeitsvertragliche Normen durch eine Betriebsvereinbarung verändert werden können. Betriebsräte müssen diese Rechtsprechung im Blick haben, wenn sie Betriebsvereinbarungen mit dem Arbeitgeber schließen. Denn diese können dazu führen, dass die Arbeitsverträge der Beschäftigten zu deren Nachteil abgeändert werden.[2]

Beispiel:
Das BGB regelt ausdrücklich, dass durch einen Tarifvertrag von den Kündigungsfristen, die im BGB stehen, abgewichen werden darf. Es ist durch die gesetzliche Vorschrift erlaubt, kürzere Kündigungsfristen in Tarifverträgen zu vereinbaren. Davon hat der Bundesrahmentarifvertrag für das Baugewerbe Gebrauch gemacht. In den ersten drei Jahren können Arbeitsverhältnisse von Bauarbeitern mit einer Frist von sechs Werktagen gekündigt werden. Eine solch kurze Frist kennt das BGB nicht. Die Mindestfrist während der Probezeit beträgt zwei Wochen und danach vier Wochen. Auf den ersten Blick verstößt der Bundesrahmentarifvertrag gegen eine höherrangige Norm. Aber genau diese Norm **erlaubt** kürzere Kündigungsfristen in Tarifverträgen. Aus diesem Grund ist die Vorschrift aus dem Tarifvertrag und damit die Kündigungsfrist von 6 Werktagen gültig.

Tarifvorbehalt

4. Grundregel:
Tarifverträge sind gegenüber Betriebsvereinbarungen die höhere Norm. Damit ist es nicht erlaubt, in einer Betriebsvereinbarung eine Arbeitsbedingung schlechter zu regeln als in einem einschlägigen Tarifvertrag. Das ergibt sich schon aus dem 1. Grundsatz »oben schlägt unten«.
Es ist aber auch **nicht erlaubt**, Arbeitsbedingungen in der Betriebsvereinbarung **besser** zu regeln als im Tarifvertrag. Das Betriebsverfassungsgesetz verbietet es generell, in Betriebsvereinbarungen Arbeitsbedingungen zu regeln, die in einem Tarifvertrag geregelt wurden oder üblicherweise in einem Tarifvertrag geregelt sind. Das nennt man Tarifvorbehalt, denn der Tarifvertrag »geht vor«.

Beispiel:
Bei der Fleiß GmbH gilt ein Tarifvertrag. Darin ist geregelt, dass Überstunden mit einem Zuschlag von 25% pro Stunde vergütet werden. Bei der Fleiß GmbH gehen sehr viele Aufträge ein. Diese können nur abgearbeitet werden, wenn in der Produktion Überstunden gemacht werden. Der Betriebsrat möchte dafür eine zusätzliche Entlohnung für die Beschäftigten.

---

2 BAG 5.3.2013 – 1 AZR 417/12; anders BAG 11.4.2018 – 4 AZR 119/17.

Der Arbeitgeber und der Betriebsrat schließen eine Betriebsvereinbarung. Dort wird geregelt, dass jede Überstunde mit einem Zuschlag von 50 % bezahlt wird. Diese Betriebsvereinbarung ist ungültig. Im Tarifvertrag wurde bereits der Überstundenzuschlag geregelt.

!

Im Verhältnis zwischen Tarifvertrag und Betriebsvereinbarung gilt das Günstigkeitsprinzip nicht. Es gilt die Regelung im Tarifvertrag. Nur wenn die Regelung im Tarifvertrag erlaubt, dass in einer Betriebsvereinbarung etwas Abweichendes geregelt werden kann, gilt die Betriebsvereinbarung (sogenannte Öffnungsklausel).

Tarifvorbehalt auch ohne Tarifbindung

Dieses Regelungsverbot für Betriebsvereinbarungen gilt auch, wenn im Betrieb kein Tarifvertrag gilt, die Arbeitsbedingung aber **üblicherweise** in einem Tarifvertrag geregelt ist.

Beispiele:
1. Ein Betrieb der Metall- und Elektroindustrie ist nicht tarifgebunden. Das heißt, der Arbeitgeber ist nicht in einem Arbeitgeberverband und hat auch selbst keinen Tarifvertrag mit der Gewerkschaft IG Metall geschlossen. Aber die IG Metall schließt im ganzen Bundesgebiet flächendeckend Tarifverträge mit den zuständigen Arbeitgeberverbänden ab. Egal in welchem Bundesland der Betrieb steht, es gibt dort **üblicherweise einen Tarifvertrag**.
2. Ein Marktforschungsinstitut in Frankfurt hat keinen Tarifvertrag. Es ist nicht Mitglied in einem Arbeitgeberverband und hat auch selbst keinen Tarifvertrag mit der Gewerkschaft ver.di geschlossen. Hier gilt die Regelungssperre nicht. Denn es gibt **üblicherweise keine Tarifverträge** für Marktforschungsinstitute in Hessen.

Hinweis:
Will man die Frage beantworten, ob üblicherweise ein Tarifvertrag gilt, sollte man sich folgende Frage stellen: Wenn mein Arbeitgeber in einen Arbeitgeberverband seiner Branche eintreten würde, gäbe es für diese Branche einen Tarifvertrag, der dann Anwendung findet?

3. Einige weitere wichtige Begriffe des Arbeitsrechts

a. Die betriebliche Übung

Dreimalige Wiederholung

Durch betriebliche Übung können Beschäftigte Ansprüche gegen den Arbeitgeber erhalten, die nicht ausdrücklich in einem Arbeitsvertrag geregelt sind. Dazu muss der Arbeitgeber eine bestimmte Leistung mindestens dreimal vorbehaltlos wiederholen. Dadurch entsteht bei den Beschäftigten ein **Vertrauen** darauf, dass die Leistung **auch künftig** gezahlt wird.

> **Beispiel:**
> Herr Glück hat einen Arbeitsvertrag, in dem geregelt ist, dass er sein Entgelt i. H. v. 2500 Euro monatlich erhält. Weitere Vereinbarungen zum Entgelt wurden nicht getroffen. In den Jahren 2015, 2016 und 2017 hat Glück jeweils mit dem Novembergehalt weitere 1250 Euro als Jahressonderzahlung erhalten. Nun darf Glück darauf vertrauen, dass er die 1250 Euro auch künftig mit dem Novembergehalt erhält, denn es ist eine betriebliche Übung entstanden.

Die betriebliche Übung steht innerhalb der Normenhierarchie auf der gleichen Stufe wie der Arbeitsvertrag. Sie kann nur durch eine Änderungskündigung wieder abgeschafft werden.

b. Die Gesamtzusage

Einseitige Bekanntmachung

Nicht alle Leistungen, die ein Arbeitgeber gewährt, müssen in einem Arbeitsvertrag festgeschrieben sein. Auch durch eine Gesamtzusage können Ansprüche erworben werden. Unter einer Gesamtzusage versteht man eine einseitige Bekanntmachung des Arbeitgebers, künftig eine bestimmte Leistung zu gewähren.

> **Beispiel:**
> Der Arbeitgeber macht am schwarzen Brett im Betrieb einen Aushang:
> »Liebe Mitarbeiterinnen und Mitarbeiter, wir freuen uns, Ihnen mitteilen zu können, dass ab dem Monat März 2018 alle Löhne und Gehälter um 2 % erhöht werden. Damit wollen wir uns für Ihre gute Arbeitsleistung bedanken und Sie am Erfolg der Firma teilhaben lassen. Mit freundlichen Grüßen der Geschäftsführer«

> Der Aushang stellt die Gesamtzusage dar. Die Beschäftigten haben ab sofort einen Anspruch darauf, dass sie ab März 2018 2 % mehr Entgelt erhalten.

Die Gesamtzusage steht in der Normenhierarchie, wie die betriebliche Übung, auf derselben Stufe wie der Arbeitsvertrag.

III. Das Arbeitsverhältnis

1. Merkmale des Arbeitsverhältnisses

Abhängigkeitsverhältnis

Das Arbeitsverhältnis ist ein besonderes Vertragsverhältnis. Die Besonderheit ergibt sich daraus, dass in der heutigen Gesellschaft die meisten Menschen arbeiten müssen. Um zu arbeiten, begibt sich der Einzelne in ein Abhängigkeitsverhältnis zu einem Arbeitgeber – das »Arbeitsverhältnis«. Dabei hat der einzelne Arbeitnehmer grundsätzlich kaum Einfluss auf die Gestaltung des Arbeitsverhältnisses. Die Kernaufgabe des Arbeitsrechts ist es, die Abhängigkeit des Arbeitnehmers zu mildern und ihn in seiner Abhängigkeit zu schützen.

In einem Arbeitsverhältnis ist der Arbeitnehmer verpflichtet, gegen Vergütung zu arbeiten. Charakteristisch für ein Arbeitsverhältnis ist, dass die Arbeitsleistung des Arbeitnehmers nicht frei ist. Das bedeutet, dass der Arbeitgeber die Arbeit bestimmt und der Arbeitnehmer an die Weisungen des Arbeitgebers gebunden ist. Das Arbeitsverhältnis ist daher von **persönlicher Abhängigkeit** des Arbeitnehmers vom Arbeitgeber geprägt.

§ 611a BGB

Seit dem Jahr 2017 gibt es im Bürgerlichen Gesetzbuch (BGB) eine Norm, die den Arbeitsvertrag beschreibt. Dies ist der § 611a BGB, er trägt den Titel »Arbeitsvertrag«.

a. Weisungsrecht des Arbeitgebers

§ 106 GewO

Den Kern des Arbeitsverhältnisses bildet das **Weisungsrecht** des Arbeitgebers. Dieses Recht ist in § 106 Gewerbeordnung (GewO) normiert. Es erstreckt sich auf

1. Inhalt
2. Ort
3. Zeit

der Arbeitsleistung.

Mit dem Inhalt sind die **Arbeitsaufgaben** gemeint, zum Beispiel das Bedienen einer bestimmten Maschine, Verlegen einer Elektroinstallation oder Erstellen einer Excel-Tabelle.

Inhalt der Arbeitsleistung

Aber auch das **Ordnungsverhalten** fällt darunter, wie zum Beispiel das Tragen von Arbeitskleidung oder Fragen der Nutzung von Telefon und Internet im Betrieb.

Der Ort meint den **tatsächlichen Ort**, an dem die Arbeitsleistung zu erbringen ist, zum Beispiel im Werk, im Büro, im Homeoffice (ein Arbeitsplatz zu Hause beim Arbeitnehmer) oder beim Kunden.

Ort der Arbeitsleistung

Mit Zeit ist die **Lage der Arbeitszeit im Tagesverlauf** gemeint; zum Beispiel von 9:00 bis 17:00 Uhr oder in Wechselschicht.

Zeit der Arbeitsleistung

Aufgrund des Weisungsrechts kann der Arbeitsgeber grundsätzlich einseitig über Inhalt, Ort und Zeit des Arbeitsverhältnisses bestimmen. Er kann dem Arbeitnehmer also jederzeit neue Aufgaben zuweisen, den Arbeitsort verändern oder eine andere Arbeitszeit anweisen, es sei denn, etwas anderes ist im Arbeitsvertrag geregelt. Dabei muss der Arbeitgeber aber die Grenzen des billigen Ermessens beachten. Dies erfordert eine Abwägung der berechtigten wechselseitigen Interessen von Arbeitgeber und Arbeitnehmer (z. B. muss der Arbeitgeber bei der Anweisung einer Tätigkeit berücksichtigen, wenn dadurch der Gesundheitszustand des Arbeitnehmers gefährdet werden würde;[3] bei der Anweisung von sehr frühen oder sehr späten Arbeitszeiten können familiäre Betreuungspflichten relevant sein, müssen aber auch mit den Belangen der anderen Arbeitnehmer abgewogen werden[4]).

Einseitige Bestimmung durch den Arbeitgeber

Hinweis:
Aber: Das Direktionsrecht des Arbeitgebers wird insbesondere durch die **Mitbestimmung** des Betriebsrats **begrenzt**. Denn der Betriebsrat hat gemäß § 87 Abs. 1 Nr. 1 BetrVG bei Fragen des Ordnungsverhaltens im Betrieb und gemäß § 87 Abs. 1 Nr. 2 und 3 BetrVG bei Fragen der Arbeitszeit mitzubestimmen.

b. Keine Vertretung

Ein weiteres Merkmal des Arbeitsverhältnisses ist, dass der Arbeitnehmer die Arbeitsleistung **persönlich** schuldet. Er kann nicht einen anderen zur Vertretung bestimmen, zum Beispiel darf der Arbeitnehmer nicht, wenn

Persönliche Schuld der Arbeitnehmer

3 LAG Köln 28. 6. 2006 – 7 Sa 1506/05.
4 LAG Mecklenburg-Vorpommern 13. 7. 2023 – 5 Sa 139/22.

er etwas Dringendes zu erledigen hat, eine andere Person schicken, die die Arbeitsleistung erbringen soll.

c. Eingliederung in die Organisation

Nutzung betrieblicher Ressourcen

Ein weiteres Kriterium des Arbeitsverhältnisses ist die **Eingliederung** des Arbeitnehmers in die Organisation des Arbeitgebers. Dies bedeutet, dass der Arbeitnehmer gewöhnlich die Örtlichkeit sowie die Arbeitsmittel und Materialien des Arbeitgebers nutzt. Auch ist der Arbeitnehmer oft auf die Zusammenarbeit mit seinen Kollegen im Rahmen von Arbeitsteilung angewiesen. Zum Beispiel arbeitet der Arbeitnehmer in einem Werk an den Maschinen des Arbeitgebers und verarbeitet an diesen Rohstoffe, die der Arbeitgeber ihm zur Verfügung stellt, dabei ist er auf die Zuarbeit eines Kollegen an einer anderen Maschine angewiesen. Oder er fährt zu Kunden des Arbeitgebers mit einem durch den Arbeitgeber gestellten Fahrzeug und ist mit einem Laptop und Unterlagen des Arbeitgebers ausgestattet. Dabei ist er auf die Unterstützung anderer Kollegen angewiesen, die ihm die notwendigen Unterlagen für den Kunden vorbereiten.

d. Leistung für den Arbeitgeber

Direkter Nutzen liegt beim Arbeitgeber

Das Arbeitsverhältnis kennzeichnet auch, dass die Arbeitsleistung »**im Dienste eines anderen**« erfolgt. Dies bedeutet, dass die Arbeitsleistung nicht dem Arbeitnehmer direkt zugutekommt, sondern dass der Arbeitgeber den direkten Nutzen aus der Arbeitsleistung hat. Baut der Arbeitnehmer ein Werkzeug an einer Maschine zusammen und ist dieses für den Kunden des Arbeitgebers 1000 € wert, so profitiert der Arbeitgeber hiervon direkt und nicht der Arbeitnehmer. Auch wenn der Arbeitnehmer im Verkauf beim Arbeitgeber tätig ist und für das Werkzeug statt 1000 € einen Preis von 1500 € aushandelt, kommen die 500 € nicht dem Arbeitnehmer, sondern dem Arbeitgeber zugute.

e. Unternehmerisches Risiko

Arbeitgeber trägt Risiko

Noch eine Charaktereigenschaft eines Arbeitsverhältnisses ist, dass im Arbeitsverhältnis der Arbeitgeber das unternehmerische Risiko trägt und nicht der Arbeitnehmer. Das unternehmerische Risiko ist einerseits die **Gefahr finanzieller Verluste**, andererseits die **Chance auf finanzielle Gewinne**, denen ein Unternehmer durch die Betätigung auf dem Markt ausgesetzt ist. Dieses Risiko bedeutet, dass sowohl Verluste als auch Gewinne den Arbeitgeber direkt betreffen. Unabhängig davon, wie es dem

Arbeitgeber wirtschaftlich geht und wie die Auftragslage aussieht, bleibt es grundsätzlich bei den Pflichten aus dem Arbeitsverhältnis. Der Arbeitgeber muss die vereinbarte Vergütung bezahlen und den Arbeitnehmer beschäftigen, während der Arbeitnehmer seine Arbeitsleistung zur Verfügung stellen muss. Dies bedeutet, dass einerseits, wenn die Auftragslage oder die finanzielle Situation des Arbeitgebers schlecht werden, der Arbeitgeber von der Verpflichtung den Arbeitnehmer zu beschäftigen nicht frei wird und den Arbeitnehmer nicht nach Hause schicken kann. Auch kann er dem Arbeitnehmer nicht weniger Lohn zahlen. Andererseits muss der Arbeitnehmer nicht mehr arbeiten oder erhält mehr Geld, wenn die Auftragslage oder finanzielle Lage des Arbeitgebers besonders gut sind.

Verlagerung des Risikos

Aber: Entgegen diesem Grundsatz wird ein Teil des unternehmerischen Risikos in manchem Arbeitsverhältnis durch variable **erfolgsbasierte Vergütungsbestandteile** oder die Vereinbarung von **Arbeit auf Abruf** auf den Arbeitnehmer verlagert! Dies muss kritisch betrachtet werden, weil eigentlich die Person das unternehmerische Risiko tragen sollte, die auch die Entscheidungen über die unternehmerische Betätigung trifft. Der Arbeitnehmer soll in solchen Fällen zwar am unternehmerischen Risiko beteiligt werden, nicht aber an den Entscheidungen.

2. Abgrenzung des Arbeitsverhältnisses zu anderen Vertragstypen

Ausweichen auf andere Vertragstypen

Da Arbeitnehmer durch das Arbeitsrecht besonders geschützt werden, greifen Unternehmen oft zu anderen Vertragsgestaltungen als dem klassischen Arbeitsverhältnis, um für sich vorteilhafter handeln zu können. Einem Unternehmen steht es frei, ob es eine Leistung durch **eigene Arbeitnehmer** ausführen lässt, hierzu **Leiharbeitnehmer** entleiht oder die Leistung von einem **anderen Unternehmer** bezieht.

Auswirkungen auf den Betriebsrat

Da der Betriebsrat nur die Arbeitnehmer und Leiharbeitnehmer des **eigenen** Betriebs vertreten darf, ist es wichtig, die unterschiedlichen Vertragsverhältnisse voneinander abgrenzen zu können. Die Abgrenzung kann z. B. für folgende Fragestellungen von Relevanz sein:

- Betriebsratsfähigkeit eines Betriebs (Erreichen der Anzahl von mindestens fünf ständigen wahlberechtigten Arbeitnehmern),
- Erstellung der Wählerliste (nur Arbeitnehmer und Leiharbeitnehmer ab einer gewissen Einsatzdauer dürfen auf die Liste),

- Zahl der Betriebsratsmitglieder (ist abhängig davon, wie viele Arbeitnehmer inklusive Leiharbeitnehmer tatsächlich regelmäßig beschäftigt werden),
- Ausschreibung von Arbeitsplätzen (nur tatsächliche Arbeitsplätze und nicht Werkverträge müssen auf Verlangen des Betriebsrats ausgeschrieben werden),
- Mitbestimmung bei Einstellungen (hier ist entscheidend, ob es tatsächlich um die Einstellung eines Arbeitnehmers oder Leiharbeitnehmers geht oder es sich doch um Werkverträge o. Ä. handelt),
- Mitbestimmung bei Kündigungen (nur Arbeitnehmer des Betriebs, bei Leiharbeitnehmern ist der Betriebsrat des Verleihunternehmens zuständig) etc.

Bezeichnung ist nicht ausschlaggebend

Die Abgrenzung hat aber auch noch grundsätzlichere Bedeutung, denn oft wird ein anderes Vertragsverhältnis vorgegeben, um das Arbeitsrecht, welches den Arbeitnehmer schützt, zu umgehen. Der Arbeitgeber ist nicht frei in der Entscheidung, welches Recht auf ein durch ihn eingegangenes Vertragsverhältnis Anwendung findet. Ausschlaggebend für die Frage, welches Vertragsverhältnis vorliegt, ist nicht, wie die Vertragsparteien es genannt haben (Dienstvertrag, Werkvertrag, Arbeitsvertrag), sondern wie es **tatsächlich gelebt** wird (zur Systematik der Vertragstypen siehe die nachfolgende Abbildung). Es ist sehr wichtig, die Fälle, in denen faktisch ein Arbeitsverhältnis vorliegt, aufzudecken, da ansonsten den betroffenen Arbeitnehmern der ihnen zustehende Schutz verwehrt bleibt.

Abbildung 1

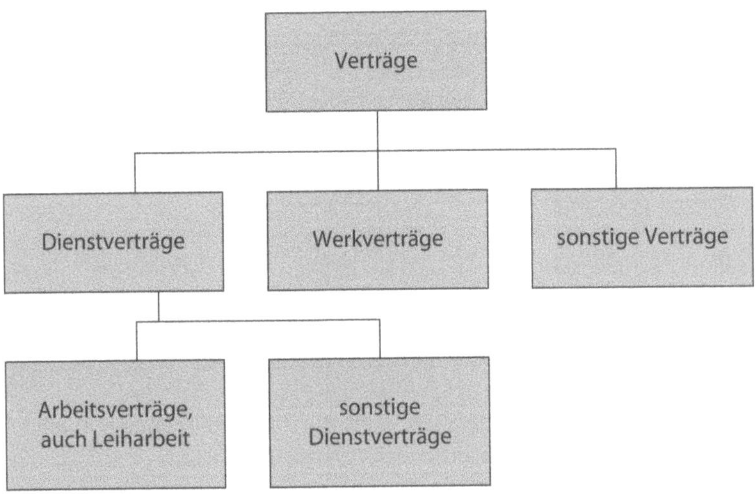

a. Arbeitnehmerüberlassung

Begriffserklärung:
Ein Leiharbeitnehmer ist ein Arbeitnehmer, der von seinem Arbeitgeber (Verleiher) an andere Unternehmen (Entleiher) im Rahmen ihrer wirtschaftlichen Tätigkeit zur Arbeitsleistung überlassen wird (siehe nachfolgende Abbildung).

Abbildung 2

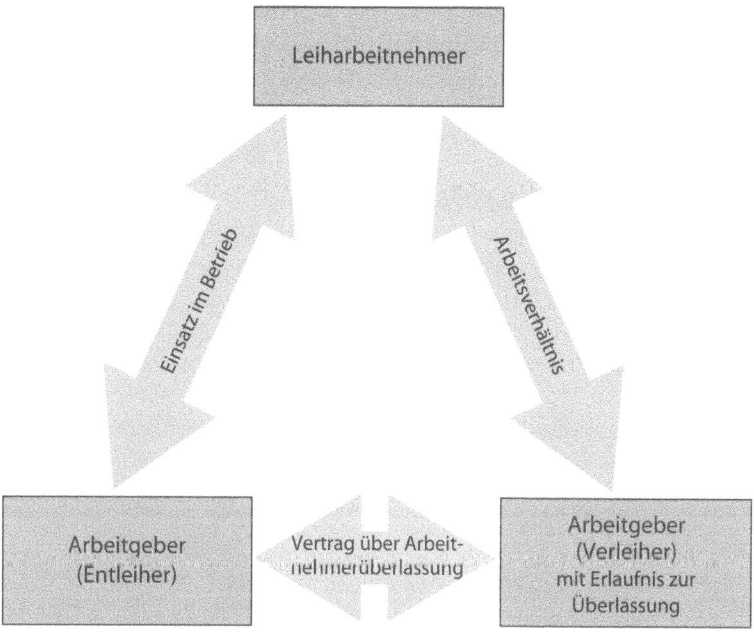

Zweiklassengesellschaft

Arbeitnehmerüberlassung kann unter den Beschäftigten eines Betriebes zu einer Art Zweiklassengesellschaft führen – die temporär eingesetzten Leiharbeitnehmer und die eigentlichen Arbeitnehmer. Die Leiharbeitnehmer werden für einen begrenzten Zeitraum in einem Unternehmen eingesetzt und können seitens ihres Arbeitgebers jederzeit in einen anderen Betrieb vermittelt werden. Faktisch wird durch die Arbeitnehmerüberlassung das unternehmerische Risiko auf eine Arbeitnehmergruppe – nämlich die Leiharbeitnehmer– verlagert. Auch wenn durch die Neuregelung der Leiharbeit durch das Arbeitnehmerüberlassungsgesetz (AÜG) im Jahr 2017 die Rechte der Leiharbeitnehmer verbessert wurden, ist Arbeitnehmerüberlassung deshalb grundsätzlich abzulehnen. Betriebsräte sollten daher immer darauf einwirken, dass, soweit Arbeitskräfte benötigt werden, diese direkt beim Arbeitgeber angestellt werden, und nicht Leiharbeitnehmer entliehen werden.

aa. Erlaubnis zur Arbeitnehmerüberlassung

§ 1 Abs. 1 AÜG Um Arbeitnehmer zu verleihen, benötigt der Arbeitgeber des Leiharbeitnehmers eine Erlaubnis zur Arbeitnehmerüberlassung. Hat er diese Erlaubnis nicht und verleiht trotzdem seine Arbeitnehmer an andere Unternehmer, kommt ein Arbeitsverhältnis zwischen dem einzelnen Leiharbeitnehmer und dem Entleiher zustande, sofern der Arbeitnehmer nicht schriftlich bis zum Ablauf eines Monats nach dem vorgesehenen Beginn der Überlassung das Festhalten am Arbeitsverhältnis mit dem Verleiher erklärt (§§ 9, 10 AÜG).

bb. Höchstdauer der Überlassung

§ 1 Abs. 1b AÜG Die Arbeitnehmerüberlassung an einen Entleiher muss vorübergehend sein – dies bedeutet, dass sie nicht länger als **18 aufeinanderfolgende Monate** dauern darf (es werden alle Zeiträume zusammengerechnet, die nicht mindestens drei Monate auseinanderliegen) und ist in § 1 Abs. 1b AÜG festgelegt. Tarifverträge können aber eine längere Höchstdauer vorsehen. Wird die Höchstdauer überschritten, kommt ein Arbeitsverhältnis zwischen dem Leiharbeitnehmer und dem Entleiher zustande, sofern der Arbeitnehmer nicht schriftlich bis zum Ablauf eines Monats nach Überschreiten der Höchstdauer das Festhalten am Arbeitsverhältnis mit dem Verleiher erklärt (§§ 9, 10 AÜG).

cc. Vertrag zwischen Verleiher und Entleiher

§ 12 AÜG Der Vertrag zwischen dem Unternehmen, das Arbeitnehmer verleiht (Verleiher), und dem Unternehmen, bei dem die Leiharbeitnehmer eingesetzt werden (Entleiher), bedarf der Textform. In diesem Vertrag muss die Arbeitnehmerüberlassung ausdrücklich als solche bezeichnet werden. Bevor der einzelne Leiharbeitnehmer im Betrieb des Entleihers eingesetzt wird, muss zwischen dem Entleiher und dem Verleiher mit Bezug auf den zwischen den beiden geschlossenen Vertrag die Person des Leiharbeiternehmers konkret benannt werden. Wenn ein Vertrag in Textform zwischen Entleiher und Verleiher fehlt[5] oder in diesem Vertrag die Arbeitnehmerüberlassung nicht als solche bezeichnet ist oder der einzelne Leiharbeitnehmer nicht benannt wurde, kommt ein Arbeitsverhältnis

5 BAG 5.3.2024 – 9 AZR 204/23.

zwischen dem Arbeitnehmer und dem Entleiher zustande, sofern der Arbeitnehmer nicht schriftlich bis zum Ablauf eines Monats nach dem vorgesehenen Beginn der Überlassung das Festhalten am Arbeitsverhältnis mit dem Verleiher erklärt (§§ 9, 10 AÜG).

dd. Leiharbeitsverhältnis mit dem Arbeitnehmer

Näheres zum Weisungsrecht und zur Eingliederung auf Seite 22f.

Charakteristisch für das Leiharbeitsverhältnis ist, dass das Weisungsrecht gegenüber dem Leiharbeitnehmer auch durch den Arbeitgeber des Betriebs, in dem der Leiharbeitnehmer eingesetzt wird (Entleiher), ausgeübt wird – das Weisungsrecht haben in diesem Fall beide Arbeitgeber, Verleiher und Entleiher. Der Leiharbeitnehmer ist für die Dauer der Überlassung in dem Entleiherbetrieb eingegliedert. Da er im Arbeitsverhältnis zu seinem eigentlichen Arbeitgeber (Verleiher) steht, gilt auch für ihn, dass er zu der Arbeitsleistung persönlich verpflichtet ist und nicht einfach jemand anderen zur Vertretung schicken kann. Zudem verrichtet er seine Arbeit im Dienste eines anderen – nämlich seines Arbeitgebers – und profitiert nicht direkt von dieser.

§ 8 AÜG

Leiharbeitnehmer müssen grundsätzlich die gleichen Arbeitsbedingungen wie ihnen vergleichbare Arbeitnehmer des Betriebes, in dem sie eingesetzt sind, haben. Dies ist als **Gleichstellungsgrundsatz** in § 8 AÜG geregelt. Aber: Tarifverträge können vom Gleichstellungsgrundsatz abweichen. Eine solche Abweichung ist jedoch sehr kritisch zu sehen, da sie die Zweiklassengesellschaft, die durch die Leiharbeit geschaffen wird, verstärkt.

Verlagerung des unternehmerischen Risikos

Auch für das Arbeitsverhältnis des Leiharbeitnehmers zu seinem Arbeitgeber (Verleiher) gilt der Grundsatz, dass das unternehmerische Risiko nicht bei dem Arbeitnehmer liegen darf.

Dabei bedeutet die Arbeitnehmerüberlassung an sich faktisch eine Verlagerung des unternehmerischen Risikos auf eine ganze Gruppe von Arbeitnehmern – nämlich den Arbeitnehmern der Leiharbeitsunternehmen. Dies ergibt sich daraus, dass Arbeitnehmer in der Arbeitsnehmerüberlassung keinen festen Betrieb haben, in dem sie eingesetzt werden, sondern abhängig von der wirtschaftlichen Entwicklung den Betrieb wechseln müssen. Bisher galten für Leiharbeitnehmer auch schlechtere Arbeitsbedingungen. Zwar hat sich das durch § 8 AÜG geändert, es bleibt aber dabei, dass in Tarifverträgen schlechtere Arbeitsbedingungen für Leiharbeitnehmer vereinbart werden können. Gäbe es die Leiharbeit nicht, müssten Arbeitgeber die benötigten Arbeitnehmer direkt einstellen. Daher ist das Konzept der Arbeitnehmerüberlassung insgesamt abzulehnen.

! Betriebsräte sollten stets daran denken, dass sie auch Leiharbeitnehmer, die in ihrem Betrieb eingesetzt sind, vertreten.

b. Dienst- und Werkverträge

Da die Rechte der Leiharbeitnehmer durch den Gleichstellungsgrundsatz in § 8 AÜG gestärkt wurden, greifen Unternehmen verstärkt auf andere Vertragsgestaltungen außerhalb des Arbeitsrechts zurück, insbesondere auf Werk- sowie Dienstverträge.
Soweit der Arbeitgeber solche Verträge abschließt, stellt sich die Frage, ob es sich tatsächlich nicht doch um Arbeitsverträge oder verdeckte Arbeitnehmerüberlassung handelt.

aa. Abgrenzung Dienst- und Werkvertrag

Bei einem **Werkvertrag** wird nicht wie bei einem Arbeitsvertrag die Arbeitsleistung als Prozess geschuldet, sondern ein Werk, also das **Ergebnis. Dienstverträge** auf der anderen Seite zeichnen sich dadurch aus, dass nicht ein Ergebnis geschuldet ist, sondern die **Leistung** an sich. Gegenstand des Dienstvertrags können Dienste jeder Art sein.
Teilweise ist es so, dass ein Vertrag Elemente eines Dienstvertrages und eines Werkvertrages vereint und damit nicht einfach in eine der Kategorien eingeordnet werden kann.

bb. Abgrenzung zum Arbeitsverhältnis

Abgrenzung im Einzelfall

Die Abgrenzung erfolgt für jeden Einzelfall. Teilweise ist es sehr schwierig, zwischen einem Arbeitsvertrag bzw. Arbeitnehmerüberlassung und einem vermeintlichen Werk- und oder Dienstvertrag zu unterscheiden. Soweit keines der Merkmale eines Arbeitsverhältnisses erfüllt ist, liegt auch kein Arbeitsverhältnis vor. Soweit ein oder mehrere Merkmale eines Arbeitsverhältnisses vorliegen, muss überprüft werden, ob es sich bei dem Vertragsverhältnis insgesamt um ein Arbeitsverhältnis handelt. Es gibt jedoch keine Regel, wie viele der Merkmale und wie stark ausgeprägt diese vorliegen müssen, damit ein Arbeitsverhältnis anzunehmen ist. Dies ist jedes Mal im Einzelfall unter Einbeziehung aller Aspekte abzuwägen.
Eine Hilfestellung für die Abgrenzung kann die folgende **Checkliste** sein:

Hilfe zur Abgrenzung

1. Definiert der Vertrag die Leistung/das Werk genau, vollständig und eindeutig?
2. Kann der Vertragspartner des Arbeitgebers eigenständig bestimmen, wer die Tätigkeit erbringen muss?
   - Kann er gegebenenfalls andere einsetzen?

   - Kann er eigenverantwortlich bestimmen, wann er innerhalb des vorgegebenen Zeitraums die Leistung erbringt?
   - Kann er selbstständig entscheiden, wie er die Arbeitsleistung erbringt?
3. Kann der Vertragspartner des Arbeitgebers die Leistung in eigener Regie und mit eigenen Arbeitsmitteln erbringen?
4. Sind die Leistungen des Vertragspartners des Arbeitgebers von den Tätigkeiten der Arbeitnehmer des Betriebs abgrenzbar?
5. Bekommt der Vertragspartner des Arbeitgebers Weisungen erteilt?
6. Wird ein Zeithonorar vereinbart, obwohl ein Festpreis möglich wäre?
7. Werden Personen, die die Leistung erbringen/das Werk fertigen, in internen E-Mail- oder Telefonverzeichnissen, Protokollen oder anderen internen Schriftstücken namentlich erwähnt?
8. Wird in den Räumen des Betriebs gearbeitet, obwohl das nicht notwendig ist?

> **Hinweis:**
> Soweit die Fragen 1.–4. mit »**Ja**« und die Fragen 5.–8. mit »**Nein**« beantwortet werden, spricht das für einen **Dienst- und/oder Werkvertrag** und gegen einen Arbeitsvertrag.
> Ist eine der Fragen anders zu beantworten, besteht der dringende Verdacht, dass ein **Arbeitsvertrag** vorliegt. Je mehr Fragen 1.–4. sich mit »**Nein**« und der Fragen 5.–8. mit »**Ja**« beantworten lassen, umso eher ist von einem Arbeitsvertrag auszugehen.

Klassische Beispiele für einen **Werkvertrag** sind
- die Bestellung einer maßgefertigten Maschine bei einem anderen Unternehmen oder
- die Bestellung eines maßgefertigten Einbauschranks für ein Büro.

Klassische Beispiele für einen **Dienstvertrag** sind Verträge, mit denen Bereiche, die nicht zum eigentlichen Geschäft des Arbeitgebers gehören und die er nicht selbst betreiben möchte, an ein anderes Unternehmen vergeben werden. Der Arbeitgeber schließt einen Vertrag über die Leistung, die er einkaufen möchte, und das andere Unternehmen führt diese mit eigenen Arbeitnehmern aus. Solche Verträge werden üblicherweise geschlossen über
- die Reinigung der Betriebsräume,
- die Bewachung der Betriebsräume durch ein Sicherheitsunternehmen,
- die Instandhaltung der IT und Ähnliches.

3. Anbahnung eines Arbeitsverhältnisses

Bereits bei der Anbahnung eines Arbeitsverhältnisses kommen viele Fragen auf: Welche Fragen darf der Arbeitgeber im Bewerbungsgespräch stellen? Welche Unterlagen darf er vom Bewerber verlangen? Welche Rechte hat der Betriebsrat?

a. Ausschreibung von Arbeitsplätzen, § 93 BetrVG

Interne Stellenausschreibung

Bei der Besetzung von neuen Stellen kann der Betriebsrat vom Arbeitgeber **verlangen**, offene Stellen innerhalb des Betriebs auszuschreiben. Dies ergibt sich aus § 93 BetrVG. Der Betriebsrat sollte von diesem Recht Gebrauch machen. Die interne Stellenausschreibung ist für die Arbeitnehmer des Betriebs wichtig, da diese so die Möglichkeit erhalten, sich im Betrieb beruflich weiterzuentwickeln.

Interne Ausschreibung in Textform verlangen

Zwar kann das Verlangen formfrei geäußert werden – also auch zum Beispiel mündlich – es empfiehlt sich aber, dies in Textform zu machen. Denn der Arbeitgeber kann ohne interne Stellenausschreibung keine wirksame Einstellung vornehmen, wenn der Betriebsrat die interne Stellenausschreibung vorher verlangt hat. Wenn es darauf ankommen sollte, sollte der Betriebsrat **nachweisen** können, dass er eine interne Stellenausschreibung verlangt hat.

b. Personalfragebogen und Auswahlrichtlinien

§ 94 BetrVG

Die Bewerbungs- und Einstellungsverfahren werden heutzutage zunehmend formalisiert, zum Beispiel durch Onlineformulare für die Bewerbung und Durchführung von Assessment-Centern als Weg zur Einstellung (ein Assessment-Center ist ein formalisiertes Auswahlverfahren für Bewerber mit verschiedenen Übungen, welches von den Bewerbern gleichzeitig unter Beobachtung durch den Arbeitgeber absolviert wird). Dies kann vom Betriebsrat auch als Chance der Gestaltung begriffen werden.

aa. Fragebögen im Bewerbungsverfahren

Einfluss auf Ausgestaltung

Wenn der Arbeitgeber (Personal-)Fragebögen im Bewerbungsverfahren verwenden möchte, muss er hierzu die Zustimmung des Betriebsrats haben – § 94 BetrVG –, das betrifft auch Onlineformulare sowie formularmäßige Fragen, die nicht verschriftlicht sind. Ohne Zustimmung des Betriebsrats darf der Arbeitgeber keine Personalfragebögen im Bewerbungsverfahren verwenden. Der Betriebsrat hat zwar **kein Initiativrecht** hinsichtlich Personalfragebögen, kann also den Arbeitgeber nicht dazu bringen, Personalfragebögen zu verwenden. Soweit sie jedoch zur Anwendung kommen sollen, hat der Betriebsrat Einfluss auf die Ausgestaltung. Hierbei sollte der Betriebsrat darauf achten, dass sich nur erforderliche und zulässige Fragen im Personalfragebogen finden.

bb. Auswahlrichtlinien im Bewerbungsverfahren

§ 95 BetrVG

Alle Regeln, die ein Arbeitgeber im Bewerbungsverfahren seiner Auswahlentscheidung zugrunde legt – auch im Rahmen automatisierter Verfahren und unter Einsatz von künstlicher Intelligenz – bedürfen ebenfalls der Zustimmung des Betriebsrats, da es sich hierbei um Auswahlrichtlinien gemäß § 95 BetrVG handelt. Soweit der Betriebsrat nicht zustimmt, kann der Arbeitgeber die Einigungsstelle anrufen.

> **Begriffserklärung:**
> Als Auswahlrichtlinien in diesem Sinne gelten alle Tests und Assessment-Center, deren Ergebnisse der Arbeitgeber für die Auswahlentscheidung im Bewerbungsverfahren heranzieht.

In Betrieben bis 500 Arbeitnehmer hat der Betriebsrat auch hier kein Initiativrecht. Bei mehr als 500 Arbeitnehmern sieht § 95 Abs. 2 BetrVG ein Initiativrecht des Betriebsrats vor.

Anonymisiertes Bewerbungsverfahren

In Betrieben mit mehr als 500 Arbeitnehmern sollte der Betriebsrat das Initiativrecht ergreifen und ein anonymisiertes Bewerbungsverfahren verhandeln. In Deutschland ist es immer noch üblich, in den Bewerbungen Fotos sowie nicht erforderliche Angaben (Geschlecht, Name, Adresse, Alter, Familienstand, Nationalität, Muttersprache, Geburtsort etc.) zu übermitteln. Dabei ist erwiesen, dass ein Name, der auf einen Migrationshintergrund schließen lässt, die Chancen des Bewerbers deutlich verschlechtert. Ein anonymisiertes Bewerbungsverfahren bedeutet, dass die nicht relevanten Daten von den für die Qualifikation relevanten Daten getrennt werden. Die Personen, die über die Bewerberauswahl entscheiden, können nur die für die Qualifikation und Berufserfahrung des Bewerbers relevanten Daten sehen. So wird sichergestellt, dass die Auswahlentscheidung auf den richtigen Beweggründen basiert.

c. Fragerecht des Arbeitgebers im Bewerbungsgespräch

Erfordernis einer datenschutzrechtlichen Grundlage

Soweit der Arbeitgeber Informationen über einen Bewerber haben möchte, bedarf er einer datenschutzrechtlichen Grundlage. Grundsätzlich darf der Arbeitgeber nur vom Bewerber bereitgestellte Informationen nutzen. Das bedeutet, dass der Arbeitgeber keine anlasslose Internetsuche über Bewerber durchführen darf und es ihm auch nicht erlaubt ist, telefonische Auskünfte zum Beispiel bei ehemaligen Arbeitgebern der Bewerber einzuholen. Er darf Informationen über den Bewerber nur von diesem persönlich aus den Unterlagen, die für die Bewerbung erstellt wurden und aus Daten, die vom Bewerber zu diesem Zweck in das Internet eingestellt wurden, beziehen.

Ausnahmsweise kann eine Verarbeitung von personenbezogenen Bewerberdaten aus anderen Quellen bei konkretem Anlass, z. B. bei Erforderlichkeit nach Art. 6 Abs. 1 Unterabsatz 1 Buchst. b DSGVO zulässig sein. Beispiele aus der Rechtsprechung: In den Bewerbungsunterlagen und den Auskünften des Bewerbers gibt es Unstimmigkeiten, die auf eine Täuschung hindeuten;[6] einem Mitglied der Auswahlkommission eines öffentlichen Arbeitgebers kommt der Name des Bewerbers in einem Zusammenhang, der Relevanz für die Aufgaben der zu besetzenden Stelle hat, bekannt vor (hier: Bewerber hat zahlreiche Verfahren gegen Arbeitgeber wegen Entschädigungsverlangen nach dem Allgemeinen Gleichbehandlungsgesetz (AGG) geführt und sich hierzu u. a. in Interviews öffentlich geäußert, auf der Arbeitsstelle hätte er an der AGG-Beschwerdestelle des Arbeitgebers mitwirken sollen[7]). Der Arbeitgeber muss den Bewerber in diesem Fall aber über die Datenverarbeitung nach Art. 14 DSGVO informieren.

Darüber hinaus könnte der Bewerber dem Arbeitgeber eine Einwilligung gem. § 26 Abs. 2 BDSG geben, damit dieser Informationen über ihn aus anderen Quellen – zum Beispiel dem Internet – einholen darf. Diese Einwilligung kann nicht die Grenzen des Fragerechts des Arbeitgebers aufheben (hierzu unter aa. Private Lebensführung auf Seite 35). Faktisch holen Arbeitgeber solche Einwilligungen von Bewerbern im Vorfeld nicht ein.

! **Aber: Der Arbeitgeber darf dem Bewerber nur die Fragen stellen, welche für die Anbahnung des Beschäftigungsverhältnisses und für das Beschäftigungsverhältnis erforderlich sind.**[8]

6 LAG Baden-Württemberg 21. 2. 2019 – 3 Sa 65/17.
7 LAG Düsseldorf 10. 4. 2024 – 12 Sa 1007/23.
8 Steiner in Handbuch Datenschutz und Mitbestimmung, Wedde, 3. Auflage, S. 363 ff.

aa. Private Lebensführung

Unzulässig sind demnach Fragen, die ausschließlich die private Lebensführung des Bewerbers betreffen. Dies betrifft jegliches Verhalten im privaten Bereich, zum Beispiel

Privatbereich der Bewerber

- das Essverhalten,
- Trink- und Konsumverhalten,
- Schlafverhalten,
- gesellschaftliche Beziehungen,
- Familiäres etc.

bb. Diskriminierung

Diskriminierende Fragen sind ebenfalls unzulässig. Doch welche Fragen sind diskriminierend? Das Allgemeine Gleichbehandlungsgesetz (AGG) verbietet eine unterschiedliche Behandlung aus Gründen

§ 1 AGG

- der Rasse,
- der ethnischen Herkunft,
- des Geschlechts,
- der Religion,
- der Weltanschauung,
- der Behinderung,
- des Alters oder
- der sexuellen Identität.

Aus diesem Grund sind Fragen des Arbeitgebers zu diesen Themen (direkt oder wenn sie in einem Bezug zu diesen stehen) unzulässig, denn wenn der Arbeitgeber zu diesen Themen fragt, liegt es nahe, dass er Entscheidungen auf die Antworten stützen möchte, also eine Andersbehandlung aufgrund dieses Themas beabsichtigt. !

Das betrifft alle denkbaren Fragen bezüglich der **Herkunft**, zum Beispiel Fragen nach dem Ursprung eines Nachnamens, eines Vornamens, eines Akzents oder äußerer Merkmale.

Merkmale des AGG

Auch die direkte Frage nach dem **Geschlecht,** aber auch indirekt mit dem Geschlecht zusammenhängende Fragen, die auf eine Unterscheidung wegen dem Geschlecht hindeuten, sind unzulässig, zum Beispiel Fragen nach Schwangerschaft, Kinderbetreuung oder Ableistung von Wehr- oder Zivildienst.

Genauso unzulässig sind demnach Fragen nach der **Religion** aber auch solche, die auf das Thema der **Weltanschauung** abzielen, zum Beispiel Fragen nach einer Parteizugehörigkeit.

Ebenfalls sind Fragen nach einer **Behinderung** oder Fragen, die mittelbar auf dieses Thema abzielen, unzulässig.
Auch Fragen nach dem Alter sind demnach unzulässig, genauso wie Fragen nach der **sexuellen Identität** oder im Zusammenhang mit dieser stehende Fragen, zum Beispiel Fragen nach dem Familienstand.

Schutz der Koalitionsfreiheit

Auch die Frage nach der **Gewerkschaftszugehörigkeit** ist unzulässig. Der Grund hierfür ist die Koalitionsfreiheit aus Art. 9 Grundgesetz (GG), denn diese ist nicht gewährleistet, wenn der Arbeitgeber bei Einstellungen nach Gewerkschaftszugehörigkeit unterscheiden könnte.

> **Begriffserklärung:**
> Die Koalitionsfreiheit ist das Recht des Arbeitnehmers, sich mit anderen Arbeitnehmern zusammenzuschließen, um die eigenen Rechte durchzusetzen.

Üblicherweise schließen sich Arbeitnehmer hierzu zu Gewerkschaften zusammen. Eine Frage nach der Gewerkschaftszugehörigkeit würde die Koalitionsfreiheit gefährden, weil Arbeitnehmer unter der Annahme, dass Arbeitgeber lieber Personen einstellen, die sich nicht in Gewerkschaften organisieren, in der Entscheidung, ob sie einer Gewerkschaft beitreten, nicht mehr frei wären. Wäre die Frage zulässig, könnte der Arbeitgeber nämlich die Antwort bei der Einstellung berücksichtigen.

Längst vergangene Umstände

Insgesamt sind Fragen unzulässig, wenn sie etwas betreffen, was im Leben des Bewerbers derart weit zurückliegt, dass es **keine Relevanz** mehr für das Beschäftigungsverhältnis oder dessen Anbahnung haben kann.[9] Dies könnte zum Beispiel die »Stasi-Vergangenheit« eines Bewerbers sein. Diese würde heutzutage nämlich über 35 Jahre zurückliegen, da das Ministerium für Staatssicherheit der DDR seit dem Jahr 1989 nicht mehr existiert.

cc. Gesundheitszustand

Bedeutung für den konkreten Arbeitsplatz

Es gibt auch Themen, die nur unter **bestimmten Voraussetzungen** abgefragt werden dürfen. Hierzu gehört der Gesundheitszustand. Der Arbeitgeber darf nach dem Gesundheitszustand fragen, soweit dies besondere Anforderungen des Arbeitsplatzes betrifft. Zum Beispiel dürfte der Arbeitgeber fragen, ob der Arbeitnehmer gesundheitliche Einschränkungen hinsichtlich schweren Hebens hat, soweit der Arbeitsplatz besonders schweres Heben vorsieht.

---

9 BVerfG 8.7.1997 – 1 BvR 2111/94.

dd. Vorstrafen

Relevanz für die Tätigkeit

Auch **Vorstrafen** kann der Arbeitgeber abfragen, soweit sie für die Tätigkeit relevant sind. Dies wird zum Beispiel für Verkehrsdelikte bei Berufskraftfahrern, Vermögensdelikte bei Berufen, in denen Geld und Vermögen verwaltet wird und Sexualstraftaten bei Stellen im pädagogischen Bereich angenommen.

Das gleiche wird bei laufenden **Ermittlungsverfahren** angenommen.[10] Diese Annahme ist jedoch unzutreffend, da bei Ermittlungsverfahren die Unschuldsvermutung, die einen Grundsatz des Strafrechts darstellt, gelten sollte. Eingestellte Ermittlungsverfahren dürfen hingegen nicht abgefragt werden. Das würde bedeuten: Soweit gegen einen Bewerber ein Ermittlungsverfahren wegen eines Vermögensdelikts läuft und er sich um eine Stelle in der Bank bewirbt, ihm die Frage nach einem solchen Verfahren gestellt werden dürfte – auch wenn er unschuldig wäre – und er diese Frage auch den Tatsachen entsprechend beantworten müsste. Wäre das Verfahren bei einem Bewerber wegen geringer Schuld eingestellt worden, dann wäre die Frage unzulässig und er könnte auf eine solche Frage hin lügen. Diese unterschiedliche Behandlung ist nicht sachgerecht, daher sollten Fragen nach laufenden Ermittlungsverfahren generell unzulässig sein.

ee. Persönliche Vermögensverhältnisse

Bezug zur Anstellung nötig

Persönliche Vermögensverhältnisse dürfen nur **höchst ausnahmsweise** abgefragt werden, da sie grundsätzlich zur privaten Lebensführung gehören. Zulässig ist z. B. die Frage nach einer Überschuldung, wenn die Anstellung als Verwalter fremden Vermögens mit weiten Befugnissen erfolgen soll.[11]

ff. Recht zur Lüge

Lüge nur bei unzulässigen Fragen

Soweit der Arbeitgeber unzulässige Fragen stellt, hat der Bewerber ein Recht zu lügen. An das Lügen des Bewerbers dürfen **keine negativen Konsequenzen** geknüpft werden, wie z. B. Kündigung oder Abmahnung.

gg. Zulässige Fragen

Der Arbeitgeber hat das Recht, alle Fragen hinsichtlich der **Qualifikation** und **Berufserfahrung** des Bewerbers zu stellen. Diese muss der Bewerber auch **wahrheitsgemäß** beantworten.

---

10 BAG 6.9.2012 – 2 AZR 270/11.

11 Steiner in Handbuch Datenschutz und Mitbestimmung, Wedde, 3. Auflage, S. 373.

d. Unterlagen im Bewerbungsverfahren

Unterlagen zur Qualifikation

Arbeitgeber stellen im Bewerbungsverfahren nicht nur Fragen, sondern verlangen auch Unterlagen vom Bewerber. Selbstverständlich kann der Arbeitgeber von dem Bewerber Unterlagen zu seiner Qualifikation wie **Zeugnisse** und Nachweise seiner Berufserfahrung wie **Arbeitszeugnisse** verlangen. Was ist jedoch mit darüber hinausgehenden Unterlagen?

aa. Gesundheitszeugnis

Oft verlangen Arbeitgeber von den Bewerbern eine gesundheitliche Untersuchung bzw. ein Gesundheitszeugnis. Dies ist zulässig, soweit sich eine **Verpflichtung für den Arbeitgeber**, eine solche Untersuchung bzw. ein solches Zeugnis einzufordern, aus gesetzlichen Vorschriften, behördlicher Anordnung oder Tarifvertrag ergibt. Im Rahmen eines solchen Gesundheitszeugnisses darf der Arbeitgeber nur das Ergebnis der medizinischen Untersuchung – ob der Bewerber geeignet ist oder nicht – erfahren. Eventuell hinter dem Ergebnis stehende Diagnosen dürfen dem Arbeitgeber nicht bekannt gegeben werden. Bestimmte Untersuchungen sind von vornherein ausgeschlossen. Dies trifft auf die Untersuchung der Gene eines Bewerbers zu, das Verbot findet sich in § 19 des Gendiagnostikgesetzes (GendiagnostikG).

bb. Psychologische Tests, Drogentests

Auch psychologische Tests sind grundsätzlich nicht zulässig, da es keine **Erforderlichkeit** für diese gibt.[12] Auch Drogentests sind – soweit es für sie keine konkrete Rechtsgrundlage gibt – nicht zulässig, denn sie stellen einen zu großen Eingriff in die **Intimsphäre** des Bewerbers dar, um ohne Anlass gerechtfertigt zu sein.[13]

Zustimmungserfordernis

Soweit solche Untersuchungen im Bewerbungsverfahren verwendet werden sollen, ist das nur mit Zustimmung des Betriebsrats möglich, da es sich um Auswahlrichtlinien gemäß § 95 BetrVG handelt, die der Mitbestimmung des Betriebsrats unterliegen.[14]

cc. Führungszeugnis

Ein einfaches Führungszeugnis darf der Arbeitgeber bei Vorliegen eines berechtigten Grundes verlangen. Ein erweitertes Führungszeugnis darf

---

12 Steiner in Handbuch Datenschutz und Mitbestimmung, Wedde, 3. Auflage, S. 381.

13 Steiner in Handbuch Datenschutz und Mitbestimmung, Wedde, 3. Auflage, S. 381.

14 LAG Baden-Württemberg 13.12.2002 – 16 TaBV 4/02.

der Arbeitgeber grundsätzlich nicht verlangen.[15] Nur in gesetzlich geregelten **Ausnahmefällen** ist die Vorlage eines erweiterten Führungszeugnisses vorgesehen; Beispiele sind: Tätigkeiten bei Trägern der öffentlichen Jugendhilfe gemäß § 72a SGB VIII; Tätigkeiten in Einrichtungen für pflegebedürftige und behinderte Menschen, die Leistungen der Eingliederungshilfe bzw. der Hilfe zur Pflege erhalten, gemäß § 75 SGB XII; Beschäftigte in der Luftsicherheit gemäß § 7 Abs. 3 Luftsicherheitsgesetz (LuftSiG).

dd. SCHUFA-Auskunft

Eine SCHUFA-Auskunft (Auskunft der Schutzgemeinschaft für allgemeine Kreditsicherung) darf der Arbeitgeber **in keinem Fall** verlangen. Die SCHUFA ist ein privates Unternehmen, welches Daten über Personen und Firmen sammelt und auf Nachfrage Auskünfte erteilt. Die Daten und Auskünfte sollen über die **Kreditwürdigkeit** informieren. Die in der Auskunft enthaltenen Informationen (Adressen aus der Vergangenheit, Kreditkartendaten, Darlehen etc.) sind keinesfalls für das Beschäftigungsverhältnis erforderlich.[16]

e. Mitbestimmung bei Einstellungen, § 99 BetrVG

Bevor der Arbeitgeber die Einstellung eines Bewerbers vornimmt, muss er die Mitbestimmung des Betriebsrats gemäß § 99 BetrVG beachten.

Näheres zur Mitbestimmung bei Einstellungen in Band 1

4. Der Arbeitsvertrag

Ist ein Bewerber für eine Stelle ausgewählt worden, schließen er und der Arbeitgeber üblicherweise einen schriftlichen Arbeitsvertrag.

a. Hauptpflichten des Arbeitsvertrags

§ 611a BGB

Die Hauptpflichten des Arbeitsvertrages ergeben sich aus dem bereits oben zitierten § 611a BGB. Der Arbeitnehmer schuldet die **Arbeitsleistung,** während der Arbeitgeber die **Vergütung** schuldet.

---

15 Steiner in Handbuch Datenschutz und Mitbestimmung, Wedde, 3. Auflage, S. 382.

16 Steiner in Handbuch Datenschutz und Mitbestimmung, Wedde, 3. Auflage, S. 382.

Hauptpflicht der Arbeitnehmer

Dabei ist die Arbeitsleistung nach Zeit bemessen: der Arbeitnehmer schuldet seine Arbeitsleistung im Umfang der vereinbarten Arbeitszeit. Die Leistung richtet sich nach dem individuellen Leistungsvermögen des einzelnen Arbeitnehmers – dies nennt man den **subjektiven Leistungsbegriff.**[17] Es bedeutet, dass der Arbeitnehmer A nicht verpflichtet ist, dieselbe Arbeitsleistung zu erbringen wie Arbeitnehmer B, auch wenn sie auf der gleichen Arbeitsstelle und mit der gleichen Arbeitszeit beschäftigt werden. Jeder Arbeitnehmer ist verpflichtet, so zu arbeiten, wie sein Körper und seine Psyche ihm das ermöglichen.

Näheres zum Weisungsrecht auf Seite 22

Der genaue Inhalt der Arbeitsleistung ergibt sich aus den Regelungen des schriftlichen Arbeitsvertrages sowie eventuell anderen hierzu getroffenen Vereinbarungen zwischen Arbeitnehmer und Arbeitgeber. Soweit keine Vereinbarungen und keine Konkretisierung im Arbeitsvertrag erfolgt sind, gilt das Weisungsrecht des Arbeitgebers: der Arbeitgeber kann dann den Inhalt der Leistungspflicht nach billigem Ermessen bestimmen.

Hauptpflichten des Arbeitgebers

Hinsichtlich der **Vergütung** ist das geschuldet, was im Arbeitsvertrag vereinbart wurde. Hierbei sind jedoch – soweit einschlägig – Regelungen von Tarifverträgen und/oder Betriebsvereinbarungen zu beachten. Als Minimum gilt der Mindestlohn nach dem Mindestlohngesetz.

Darüber hinaus besteht die Pflicht des Arbeitgebers, den Arbeitnehmer zu **beschäftigen**. Diese Pflicht wird teilweise als Hauptpflicht, teilweise als wesentliche Nebenpflicht des Arbeitsvertrages gesehen. Jedenfalls handelt es sich um eine allgemein anerkannte wichtige Pflicht des Arbeitgebers aus dem Arbeitsvertrag.

Zudem hat der Arbeitgeber die Pflicht, seine Arbeitnehmer **gleich zu behandeln**. Dabei handelt es sich um ein Grundprinzip des deutschen Arbeitsrechts. Dieses Prinzip besagt, dass Gleiches gleich und Ungleiches seiner Eigenart nach ungleich zu behandeln ist.

b. Nebenpflichten des Arbeitsvertrags

Nebenpflichten des Arbeitgebers

Weiterhin gibt es eine Vielzahl an Nebenpflichten des Arbeitgebers aus dem Arbeitsvertrag. Dies sind alle **Pflichten** des Arbeitgebers **zugunsten des Arbeitnehmers**, die sich aus den Gesetzen, Tarifverträgen, Betriebsvereinbarungen und dem Arbeitsvertrag ergeben können.

Beispiele:
- der Anspruch auf Urlaub,
- der Anspruch auf Ruhepausen,

17 BAG 17.1.2008 – 2 AZR 752/06.

- der mögliche Anspruch auf Verringerung der Arbeitszeit,
- ein eventueller Anspruch auf Altersteilzeit,
- der Anspruch auf Lohnfortzahlung im Krankheitsfall,
- ein eventueller Anspruch auf eine Abfindung,
- der Anspruch auf betriebliche Altersversorgung,
- der Anspruch auf Berichtigung falscher Arbeitnehmerdaten,
- der Anspruch auf den Mindestlohn,
- der Anspruch auf Elternzeit.

Nebenpflichten der Arbeitnehmer

Auch der Arbeitnehmer hat eine Vielzahl von Nebenpflichten aus dem Arbeitsvertrag.
Zum Beispiel die **Verschwiegenheitspflicht**: Der Arbeitnehmer ist verpflichtet, über Betriebs- oder Geschäftsgeheimnisse zu schweigen. Eine weitere Nebenpflicht ist das **Wettbewerbsverbot**: Während dem Bestehen des Arbeitsvertrages ist dem Arbeitnehmer jedwede Konkurrenztätigkeit zum Arbeitgeber verboten.
Die Unterscheidung in Haupt- und Nebenpflichten hat den Hintergrund, dass eine einseitige Änderung der Hauptpflichten des Arbeitsvertrages ausgeschlossen ist. Der Arbeitgeber kann die vereinbarte Arbeitszeit und das Gehalt nicht ohne Zustimmung des Arbeitnehmers ändern. Bei der Tätigkeit gilt das auch, aber der Arbeitgeber kann sich durch eine Versetzungsklausel eine Änderung vorbehalten.

Näheres zu Betriebs- und Geschäftsgeheimnissen in Band 4

Näheres zur Versetzungsklausel auf Seite 43

c. Was ist typischerweise in einem Arbeitsvertrag geregelt?

Formfreiheit des Arbeitsvertrags

Es gibt keine Vorgaben, wie ein Arbeitsvertrag auszusehen hat. Auch die Vorgabe, dass ein Arbeitsvertrag schriftlich sein muss, gibt es nicht. Trotzdem ähneln sich die meisten Arbeitsverträge in ihrem Aufbau.
Hier die **üblichen Inhalte** eines Arbeitsvertrages im **Überblick**:

- Beginn des Arbeitsverhältnisses
- Probezeit
- Tätigkeit
- Arbeitsort
- Versetzung
- Arbeitszeit
- Vergütung
- Überstunden
- über das Grundgehalt hinausgehende Vergütungsbestandteile
- Urlaub
- Verhalten bei Arbeitsunfähigkeit
- Nebentätigkeiten

- Mitteilungspflichten hinsichtlich Änderung der Personendaten
- Beendigung des Arbeitsverhältnisses (Kündigungsfristen und eventuell Freistellung)
- Ausschlussfristen für Ansprüche aus dem Arbeitsverhältnis
- Schweigepflicht des Arbeitnehmers
- Wettbewerbsverbot des Arbeitnehmers
- Herausgabe von Arbeitgebereigentum
- Schriftformerfordernis für Änderungen des Arbeitsvertrages
- die salvatorische Klausel (eine Regelung, welche bestimmt, dass, soweit Teile des Vertrages nichtig sein sollten, der Rest seine Gültigkeit behält)
- geltende Tarifverträge sowie Betriebsvereinbarungen

Die obige Aufzählung ist **nicht abschließend**, Arbeitsverträge können wenige oder sehr viele Regelungen umfassen, da es – wie bereits ausgeführt – keine Vorschriften gibt, die den Inhalt von Arbeitsverträgen regeln.

d. Anforderungen an den Arbeitsvertrag

Allgemeine Geschäftsbedingungen

Regelmäßig wird der Arbeitsvertrag vom Arbeitgeber formuliert. Meistens verwenden Arbeitgeber die gleichen Formulierungen für alle ihre Arbeitnehmer und wandeln diese höchstens etwas ab. Da der Arbeitnehmer somit üblicherweise keinen Einfluss auf die Formulierung des Arbeitsvertrages hat, handelt es sich um allgemeine Geschäftsbedingungen (AGB).

§§ 305ff. BGB

Im Rahmen der AGB-Kontrolle – denn AGB müssen gewissen Anforderungen genügen – hat die Rechtsprechung, auf Grundlage der dazugehörigen BGB-Regelungen (§§ 305ff. BGB), Maßstäbe für Klauseln in Arbeitsverträgen entwickelt.

Allgemein gilt, dass Arbeitsvertragsklauseln

- dem Transparenzgebot genügen müssen und
- den Arbeitnehmer nicht unangemessen benachteiligen dürfen.

Begriffserklärung:
Transparent sind die Regelungen des Arbeitsvertrages, wenn sie eindeutig, klar und nicht überraschend sind.
Überraschend ist eine Klausel, wenn sie für einen Arbeitsvertrag ungewöhnlich oder an unerwarteter Stelle, zum Beispiel unter einer unzutreffenden Überschrift platziert ist.

Ist eine Klausel mehrdeutig, so geht dies zulasten des Arbeitgebers; es gilt die **arbeitnehmerfreundliche Auslegung**. Ist eine Klausel überraschend, so wird sie nicht Bestandteil des Arbeitsvertrages. Unklare Klauseln sind unwirksam.

Transparenzgebot

Benachteiligt eine Klausel den Arbeitnehmer unangemessen, so ist sie ebenfalls unwirksam.

Benachteiligungsverbot

Hieraus ergibt sich das Folgende hinsichtlich der oft durch Arbeitgeber in Arbeitsverträgen verwendeten **Klauseln**:

aa. Versetzungsklauseln

Einzelne Vertragsklauseln

Versetzungsklauseln sind nicht grundsätzlich unwirksam. Sie können im Arbeitsvertrag neben einer Regelung zur aktuellen Tätigkeit und zum aktuellen Arbeitsort vereinbart werden. Um wirksam zu sein, muss die Regelung vorsehen, dass die neue Tätigkeit mindestens **gleichwertig** ist.[18] Regelungen, die die Zuweisung einer Tätigkeit mit einer geringeren Vergütung vorsehen, sind immer unwirksam.

bb. Anrechnungsvorbehalt

Zulagen und Tariferhöhung

Ein Anrechnungsvorbehalt regelt den Fall einer Tariferhöhung so, dass diese mit der durch den Arbeitgeber gezahlten übertariflichen Zulage verrechnet wird. Das führt dazu, dass der Arbeitnehmer trotz Tariferhöhung beim gleichen Gehalt bleibt. Der Arbeitnehmer merkt die Tariferhöhung nur, soweit sie höher ausfällt als seine übertarifliche Zulage. Die Vereinbarung solcher Anrechnungsvorbehalte ist grundsätzlich zulässig. Ein Anrechnungsvorbehalt ist aber nicht möglich, soweit die übertarifliche Zulage für einen **besonderen** Zweck (z. B. Leistungs- oder Erschwerniszulage) gewährt wird.[19]

cc. Stichtagsregelung

Soweit im Arbeitsvertrag **Sonderzahlungen** vereinbart werden, wird oft die Zahlung an das Bestehen eines ungekündigten Arbeitsverhältnisses geknüpft (Stichtagsregelung, Formulierungsbeispiel: »Das Weihnachtsgeld wird mit dem Novembergehalt nur an die Arbeitnehmer gezahlt, die am 1. November dieses Jahres in einem ungekündigten Arbeitsverhältnis zum Arbeitgeber stehen.«) oder die Rückzahlung für den Fall einer Beendigung vereinbart. Beide Regelungen können nur wirksam vereinbart werden, soweit sie **Leistungen ohne Entgeltcharakter** betreffen. Entgeltcharakter bedeutet, dass eine Leistung als Gegenleistung für die Arbeit

18 BAG 25.8.2010 – 10 AZR 275/09.
19 BAG 11.8.1992 – 1 AZR 18/88.

gezahlt wird. Solche Regelungen können demnach nur Sonderzahlungen betreffen, die ausschließlich als **Treueprämie** gewährt werden und eben keine Gegenleistung für Arbeit darstellen.
Für die Wirksamkeit der Stichtagsregelung ist es nicht erforderlich, dass zwischen einer Kündigung durch den Arbeitnehmer und einer Kündigung durch den Arbeitgeber unterschieden wird.[20]

dd. Rückzahlungsvereinbarung

Verhältnis von Prämienhöhe und Bindungsdauer

Bei der Rückzahlungsvereinbarung für Sonderzahlungen des Arbeitgebers muss die Dauer der Bindung im Verhältnis zur Höhe der Prämie stehen:

- Rückzahlungsklauseln für Zahlungen bis zur Höhe von **100 €** sind generell unwirksam.[21]
- Zahlungen in der Höhe **unterhalb eines Monatsgehalts** können den Arbeitnehmer bis zum Ende des ersten Quartals des Folgejahres binden.[22]
- Die Zahlung einer Sonderzahlung in Höhe eines **Monatsgehalts** kann den Arbeitnehmer bis zum ersten Kündigungstermin nach Ende des ersten Quartals des Folgejahres binden.[23]
- Übersteigt die Sonderzahlung ein Monatsgehalt, erreicht aber **nicht zwei Monatsgehälter**, kann sie eine Bindung bis zum 30. Juni des Folgejahres begründen.[24]
- Eine Bindung über den 30. Juni des Folgejahres hinaus ist nur wirksam, wenn die Sonderzahlung **ein Monatsgehalt erheblich übersteigt**.

ee. Widerrufsvorbehalt

Einseitiges Kürzen oder Streichen von Leistungen

Durch einen Widerrufsvorbehalt wird eine Leistung – meistens eine Zahlung – zugesagt, wobei sich der Arbeitgeber vorbehält, diese künftig einseitig zu kürzen oder sogar zu streichen. Ein wirksamer Widerrufsvorbehalt in einem Arbeitsvertrag ist möglich, aber an mehrere Voraussetzungen geknüpft:

- Die Regelung muss klar benennen, welche Leistung in welcher Höhe widerrufen werden kann.
- Der Widerruf muss an Gründe gekoppelt werden.

20 BAG 18.1.2012 – 10 AZR 667/10.
21 BAG 21.5.2003 – 10 AZR 390/02.
22 BAG 25.4.2007 – 10 AZR 634/06.
23 BAG 28.4.2004 – 10 AZR 356/03.
24 BAG 24.10.2007 – 10 AZR 825/06.

- Soweit es sich um eine Leistung des Arbeitgebers handelt, die er als Gegenleistung für die Arbeitsleistung erbringt, muss der widerrufliche Teil **unter 25 %** des Gesamtverdienstes liegen.
- Durch den Widerruf dürfen weder Mindestlohn noch Tariflohn unterschritten werden.[25]
- Soweit es sich um Leistungen des Arbeitgebers handelt, die keine Gegenleistung für die Arbeitsleistung darstellen (Übernahme von Aufwendungen durch den Arbeitgeber, die eigentlich vom Arbeitnehmer selbst zu tragen wären, zum Beispiel Fahrtkosten), kann der Widerruf **bis zu 30 %** des Gesamtverdienstes betragen.[26]

Bei der Ausübung des Widerrufs muss der Arbeitgeber zudem billiges Ermessen wahren.

ff. Freiwilligkeitsvorbehalt

Keine Verpflichtung zur Leistung

Ein Freiwilligkeitsvorbehalt ist eine Regelung, die besagt, dass eine Leistung ohne Verpflichtung gewährt werden soll. Der Arbeitgeber möchte eine Summe X zahlen, jedoch ohne dazu verpflichtet zu sein. Ein solcher Vorbehalt kann sich **nur auf Sonderzahlungen** und nicht auf Zahlungen, die als Gegenleistung für die Arbeitsleistung erbracht werden, beziehen. Auch kann ein solcher Vorbehalt nur wirksam gelten für die **erste** Zahlung – der Arbeitgeber ist dann nicht verpflichtet, diese erste Zahlung zu leisten, tut er es trotzdem, dann gilt der Freiwilligkeitsvorbehalt nicht mehr. Deshalb ist ein Freiwilligkeitsvorbehalt in einem Arbeitsvertrag nicht sinnvoll, da er nur für eine einzige Leistung und auch nur bis zur ersten Auszahlung dieser wirksam getroffen werden kann. Regelungen des Arbeitsvertrages sind aber eigentlich für Wiederkehrendes gedacht.

gg. Überstundenabgeltung

Regelungen, die die Abgeltung von Überstunden festschreiben, sind nicht grundsätzlich unwirksam. Die Regelung muss jedoch klar angeben, welchen **zeitlichen Umfang** die Überstunden, die abgegolten sein sollen, haben. Wichtig in diesem Zusammenhang ist, dass durch die Abgeltung der Überstunden der Mindestlohn nicht unterschritten wird. Eine solche Regelung könnte wie folgt aussehen: »Mit dem Grundgehalt sind bis zu 10 Überstunden pro Monat abgegolten«.

25 BAG 12.1.2005 – 5 AZR 364/04.
26 BAG 12.1.2005 – 5 AZR 364/04.

hh. Nebentätigkeitsverbot

Kein Wettbewerb mit Arbeitgeber

Dem Arbeitnehmer sind Nebentätigkeiten erlaubt, solange er nicht gegen das Wettbewerbsverbot (ein Arbeitnehmer darf seinem Arbeitgeber keinen Wettbewerb machen) verstößt und auch sonst die Arbeitgeberinteressen nicht beeinträchtigt. Dies ist die Rechtslage, die sich aus dem Gesetz ergibt. Regelungen zu Nebentätigkeiten im Arbeitsvertrag können getroffen werden, soweit sie die Gesetzeslage wiedergeben. Für Arbeitnehmer schlechtere Regelungen sind nicht zulässig. Demnach sind absolute Nebentätigkeitsverbote unwirksam. Erlaubnisvorbehalte sind zulässig, soweit sie dem Arbeitgeber die Versagung der Erlaubnis nur aus den gesetzlichen Gründen ermöglichen.

ii. Rückzahlung von Weiterbildungskosten

Trägt der Arbeitgeber Weiterbildungskosten des Arbeitnehmers, so wird oft vereinbart, dass der Arbeitnehmer die Kosten zurückzahlen muss, wenn das Arbeitsverhältnis endet. Solche Regelungen können wirksam sein,[27] müssen jedoch einige Voraussetzungen erfüllen:

- Die Weiterbildung muss den **Wert** des Arbeitnehmers auf dem Arbeitsmarkt erhöhen.[28]
- Eine Rückzahlung darf nur vereinbart werden für Fälle, in denen der Arbeitnehmer für die Beendigung des Arbeitsverhältnisses **verantwortlich** ist.[29]
- Die Rückzahlung darf **maximal** das Betragen, was der Arbeitgeber tatsächlich für die Weiterbildung ausgegeben hat.
- Der zurückzuzahlende Betrag muss nach dem Zeitpunkt der Beendigung **gestaffelt** sein. Das bedeutet, je mehr Zeit zwischen der Weiterbildung und der Beendigung vergeht, desto weniger Geld muss der Arbeitnehmer zurückzahlen.
- Die Dauer der Bindung des Arbeitnehmers an das Arbeitsverhältnis muss im **Verhältnis** zur Dauer der Fortbildung stehen. Das bedeutet, je länger die Dauer der Weiterbildung war, desto länger kann bei Beendigung eine Rückzahlung – eines Teils! – der Kosten erfolgen.[30]

---

27 Zur Unwirksamkeit einer Klausel über die Rückzahlung von Ausbildungskosten BAG 11.12.2018 – 9 AZR 383/18.

28 BAG 19.1.2011 – 3 AZR 621/08; BAG 15.9.2009 – 3 AZR 173/08.

29 BAG 18.3.2014 – 9 AZR 45/12; BAG 28.5.2013 – 3 AZR 103/12; BAG 13.12.2011 – 3 AZR 791/09.

30 BAG 19.1.2011 – 3 AZR 621/08; BAG 15.9.2009 – 3 AZR 173/08; BAG 14.1.2009 – 3 AZR 900/07.

jj. Vertragsstrafe

Eine Klausel, die eine Vertragsstrafe vorsieht, kann wirksam sein. Hierzu muss die Pflichtverletzung, für die die Vertragsstrafe angedroht ist, klar bezeichnet sein. Die Höhe der Vertragsstrafe muss **angemessen** sein.[31] Ist zum Beispiel die Vertragsstrafe für die »vertragswidrige Lösung des Arbeitsverhältnisses durch den Arbeitnehmer« vorgesehen, so darf sie, der Höhe nach, die Summe der Gehälter für die Dauer der für den Arbeitnehmer geltenden Kündigungsfrist nicht übersteigen;[32] hat der Arbeitnehmer eine Kündigungsfrist von einem Monat und kündigt er ohne einen wichtigen Grund fristlos, dann darf die Vertragsstrafe sein Monatsgehalt nicht übersteigen.

kk. Freistellungsklausel

Freistellungsklauseln sind Regelungen, die vorsehen, dass der Arbeitgeber den Arbeitnehmer unter Fortzahlung des Entgelts von der Arbeitsleistung freistellen kann. Da es sich bei der Pflicht zur Beschäftigung um eine Hauptleistungspflicht des Arbeitsvertrages handelt, sind solche Klauseln unwirksam. Das gilt auch für eine im Arbeitsvertrag geregelte pauschale Freistellungsmöglichkeit im Fall der Kündigung.[33]

ll. Ausschlussfristen

Ausschlussfristen sind Regelungen, die vorgeben in welcher Zeit die Vertragsparteien ihre Ansprüche aus dem Arbeitsvertrag geltend machen müssen, um diese nicht zu verlieren. Solche Regelungen sind grundsätzlich zulässig. Die Klausel muss so formuliert sein, dass auf die Rechtsfolge – den Verlust der Ansprüche – **ausdrücklich** hingewiesen wird.[34] Die Ausschlussfristen müssen für den Arbeitgeber genauso wie für den Arbeitnehmer gelten. **Einseitige** Ausschlussfristen zu Lasten des Arbeitnehmers sind unwirksam.[35] Die Ausschlussfristen können einstufig oder zweistufig sein.

Einstufige Fristen

Bei einer »einstufigen« Ausschlussfrist gibt es **eine Frist**, innerhalb derer die Ansprüche gegenüber dem Vertragspartner geltend gemacht, also eingefordert, werden müssen. Arbeitsverträge dürfen eine Geltendmachung in Textform vorsehen, ein echtes Schriftformerfordernis ist dagegen unzulässig.

31 BAG 25.9.2008 – 8 AZR 717/07; BAG 19.8.2010 – 8 AZR 645/09; BAG 18.12.2008 – 8 AZR 81/08.

32 BAG 4.3.2004 – 8 AZR 196/03.

33 BAG 25.3.2026 – 5 AZR 108/25.

34 BAG 31.8.2004 – 5 AZR 545/05.

35 BAG 31.8.2005 – 5 AZR 545/04.

Zweistufige Fristen

»Zweistufig« bedeutet, dass es **zwei Fristen** gibt: eine für die Geltendmachung gegenüber dem Vertragspartner wie bei der »einstufigen« und eine weitere, um die Ansprüche einzuklagen, wenn der andere sie nicht erfüllen möchte.

Mindestdauer

Jede Stufe der Ausschlussfrist muss **mindestens drei Monate** betragen, wenn sie im Arbeitsvertrag geregelt ist.[36] Tarifverträge dürfen kürzere Fristen vorsehen.

e. Fehlende Regelungen

Schutz durch gesetzliche Mindeststandards

Soweit der Arbeitsvertrag zu bestimmten Themen keine Regelung enthält, gilt das, was das Arbeitsrecht **als Minimum** vorgibt. Das Arbeitsrecht besteht aus einer Fülle von verschiedenen Gesetzestexten, die unterschiedliche Bereiche des Arbeitsverhältnisses regeln. Zum Schutz der Arbeitnehmer sehen diese Gesetze oft einen Mindeststandard vor oder zumindest den Standard, der gilt, wenn nichts zu dem Thema zwischen Arbeitgeber und Arbeitnehmer geregelt ist.

Beispiele:
- Das Entgeltfortzahlungsgesetz sieht einen Anspruch auf sechs Wochen Entgeltfortzahlung im Krankheitsfall vor.
- Beim Urlaub sieht das Bundesurlaubsgesetz vier Wochen Urlaub als Mindesturlaub vor.
- Sind die Kündigungsfristen nicht geregelt, so gelten die gesetzlichen Kündigungsfristen aus § 622 BGB.
- Das Arbeitszeitgesetz regelt die Ruhezeiten und Pausen sowie Höchstarbeitszeiten.
- Das Mindestlohngesetz bestimmt den Stundenlohn, den der Arbeitgeber mindestens schuldet.

Schutz durch Tarifverträge

Darüber hinaus würden im Geltungsbereich eines Tarifvertrages die Regelungen des Tarifvertrages zwischen Arbeitnehmer und Arbeitgeber gelten. Das ist aber nur dann der Fall, wenn der Arbeitgeber **tarifgebunden** ist und der Arbeitnehmer **Gewerkschaftsmitglied**.

f. Nachweisgesetz

§ 2 NachwG

Was passiert jedoch, wenn **kein** schriftlicher **Arbeitsvertrag** vorliegt? Wie bereits oben ausgeführt, gibt es keine vorgeschriebene Form für den

36 BAG 25.5.2005 – 5 AZR 572/04.

Arbeitsvertrag. Das Arbeitsverhältnis kommt auch ohne einen schriftlichen Arbeitsvertrag zustande.

Inhalt der Niederschrift nach dem NachwG

Der Arbeitgeber ist aber verpflichtet, dem Arbeitnehmer eine **Niederschrift** mit den wesentlichen Vertragsbedingungen des Arbeitsverhältnisses auszuhändigen. Diese muss grundsätzlich durch den Arbeitgeber unterzeichnet sein, kann aber unter bestimmten Voraussetzungen auch in Textform abgefasst und elektronisch übermittelt werden. Diese Pflicht ergibt sich aus dem Nachweisgesetz und ist dort in § 2 geregelt. Als die **wesentlichen Vertragsbedingungen** gelten u. a.:

- Name und Anschrift der Vertragsparteien
- Zeitpunkt des Beginns des Arbeitsverhältnisses
- bei Befristung die vorhersehbare Dauer des Arbeitsverhältnisses
- Arbeitsort oder der Hinweis, dass der Arbeitnehmer an verschiedenen Orten beschäftigt werden kann
- kurze Charakterisierung oder Beschreibung der Tätigkeit
- sofern eine vereinbart ist, die Dauer der Probezeit
- Zusammensetzung, Höhe und Fälligkeit des Arbeitsentgelts sowie die Art der Auszahlung
- Arbeitszeit
- bei Arbeit auf Abruf die maßgeblichen Umstände für den Abruf
- sofern vereinbart, die Möglichkeit der Anordnung von Überstunden und deren Voraussetzungen
- Erholungsurlaub
- ein etwaiger Fortbildungsanspruch
- etwaige Informationen über den Versorgungsträger einer betrieblichen Altersversorgung
- das bei Kündigung einzuhaltende Verfahren, insbesondere Schriftformerfordernis und Kündigungsfristen sowie die Frist zur Erhebung einer Kündigungsschutzklage
- Hinweis auf Tarifverträge und Betriebsvereinbarungen, die auf das Arbeitsverhältnis anzuwenden sind.

Verweis auf Tarifvertrag oder Gesetz

Hinsichtlich der Angaben zur Probezeit, zum Arbeitsentgelt, zur Arbeitszeit, zum Erholungsurlaub, zum Fortbildungsanspruch, zur betrieblichen Altersversorgung und zu den Kündigungsfristen kann auch auf den einschlägigen Tarifvertrag oder die einschlägige Betriebsvereinbarung verwiesen werden. Hinsichtlich des Erholungsurlaubs und der Kündigungsfristen reicht auch ein Verweis auf das Gesetz.

g. Rolle des Betriebsrats

Näheres zur Schweigepflicht des Betriebsrats in Band 4

Die einzelnen, zwischen dem Arbeitgeber und den Arbeitnehmern geschlossenen Arbeitsverträge kann der Betriebsrat nicht einsehen, soweit Arbeitnehmer nicht selbst mit einem Anliegen an ihn herantreten und ihren Arbeitsvertrag vorlegen. Wenn ein Betriebsratsmitglied auf Wunsch des einzelnen Arbeitnehmers zusammen mit diesem gemäß § 83 Abs. 1 BetrVG dessen Personalakte einsieht und das Betriebsratsmitglied dabei Einblick in den Arbeitsvertrag erhält, ist es verpflichtet, über die Inhalte zu schweigen, auch gegenüber den anderen Betriebsräten und dem Gremium.

§ 80 Abs. 2 Satz 3 BetrVG

Eine Ausnahme hierzu bilden die Verträge, auf deren Grundlage Personen im Betrieb beschäftigt werden, die nicht in einem Arbeitsverhältnis zum Arbeitgeber stehen sollen. Der Betriebsrat hat hier einen Anspruch gemäß § 80 Abs. 2 Satz 3 BetrVG die Verträge einzusehen – im Fall von **Leiharbeitnehmern** sind dies auch deren Arbeitsverträge.

§ 80 Abs. 1 Nr. 1 BetrVG

Der Betriebsrat hat keinen Einfluss auf die **Ausgestaltung** der Arbeitsverträge. Er kann nicht bestimmen, welche Regelungen in einem Arbeitsvertrag aufgenommen werden oder wie die existierenden Regelungen abgeändert werden. Er kann auch nicht entscheiden, ob ein Arbeitnehmer in Teilzeit oder Arbeit auf Abruf, befristet oder unbefristet eingestellt wird. Er kann lediglich Einsicht in den Formulararbeitsvertrag nehmen. ABER: In diesem Zusammenhang hat der Betriebsrat die wichtige Aufgabe, darüber zu **wachen**, dass die Regelungen in den Arbeitsverträgen nicht gegen Gesetze verstoßen[37] – dies ergibt sich aus § 80 Abs. 1 Nr. 1 BetrVG.

5. Besondere Formen des Arbeitsverhältnisses

Vielfältige Arbeitsmodelle

Die Arbeitsverhältnisse heutzutage sind sehr vielfältig und es gibt zahlreiche Abweichungen vom früher ganz üblichen unbefristeten Vollzeitarbeitsverhältnis. Abgesehen von der Ausbreitung der Arbeitnehmerüberlassung, welche bereits oben erläutert wurde, haben viele Arbeitnehmer lediglich ein befristetes Arbeitsverhältnis. Viele arbeiten in Teilzeit – teils gewollt, teils aber auch unfreiwillig. Ein weiteres, in bestimmten Branchen verbreitetes, Modell ist die Arbeit auf Abruf.

Diskriminierungsverbot

Der Gesetzgeber betont in den §§ 1 und 4 des Teilzeit- und Befristungsgesetzes (TzBfG) – in diesem Gesetzestext sind die oben aufgeführten

37 BAG 16.11.2005 – 7 ABR 12/05.

Arbeitsmodelle geregelt – dass in Teilzeit oder befristet beschäftigte Arbeitnehmer nicht gegenüber Vollzeitbeschäftigten diskriminiert werden dürfen.

a. Befristung

Übersicht zur Befristung auf Seite 118

Die gesetzlich vorgesehene Möglichkeit der sachgrundlosen Befristung sowie der zeitlich unbeschränkten Befristung mit Sachgrund ist abzulehnen. Faktisch kann diese Rechtslage dazu führen, dass Arbeitnehmer über Jahrzehnte nur noch in befristeten Arbeitsverhältnissen in existenzieller Unsicherheit beschäftigt sind. Da ihr Arbeitsverhältnis jederzeit durch eine Nichtverlängerung der Befristung beendet werden kann, leben diese Arbeitnehmer ständig unter immensem Druck.

aa. Schriftformerfordernis

Voraussetzung für die Wirksamkeit

Bei beiden Arten der Befristung ist zwingende Voraussetzung für die Wirksamkeit die Schriftform vor Beschäftigungsantritt. Das bedeutet, **bevor** mit der Arbeit begonnen wird, muss die Befristung schriftlich geregelt und diese Regelung vom Arbeitnehmer und Arbeitgeber unterzeichnet werden.

Frist einer Entfristungsklage

Wenn die Schriftform nicht eingehalten wird, gilt das Arbeitsverhältnis als auf **unbestimmte Zeit** geschlossen (§ 16 TzBfG). Dasselbe gilt bei Unwirksamkeit aufgrund unzulässiger sachgrundloser Befristung und Fehlen eines Sachgrundes. Das Arbeitsverhältnis endet dann nicht mit Ablauf der Befristung – auch wenn die Befristung im Arbeitsvertrag steht. Das Arbeitsverhältnis kann dann nur wirksam durch eine Kündigung beendet werden (zur Kündigung siehe Ausführungen unten in diesem Band). In einem solchen Fall muss der Arbeitnehmer beim Arbeitsgericht klagen, wenn der Arbeitgeber sich trotzdem auf die Befristung beruft. Für die Klage gilt dann eine Frist von **drei Wochen** ab dem Datum der Beendigung, wie es durch die Befristung vorgesehen war.

Arten der Befristung

Eine Befristung kann entweder als kalendermäßige Befristung ohne Sachgrund oder als Sachgrundbefristung vereinbart werden.

bb. Sachgrundlose Befristung

§ 14 Abs. 2 TzBfG

Für die sachgrundlose Befristung darf mit dem Arbeitnehmer zuvor kein unbefristetes oder befristetes Arbeitsverhältnis vorgelegen haben. Die kalendermäßige Befristung darf **maximal zwei Jahre** betragen, innerhalb der zwei Jahre kann das Arbeitsverhältnis **maximal dreimal verlängert** werden.

Kettenbefristungen

Beispiel:
Demnach wäre es möglich, den Arbeitnehmer A zuerst mit einem Arbeitsvertrag zum 1.1.2018 befristet bis zum 31.12.2018 einzustellen und dann den Vertrag vom 1.1.2019 bis zum 30.7.2019 und daraufhin vom 1.8.2019 bis 30.9.2019 und zuletzt vom 1.10.2019 bis 31.12.2019 zu verlängern. Danach könnte A immer noch mit einem Grund befristet werden, und wenn der eine Grund nicht mehr aktuell wäre, könnte A mit einem anderen Grund erneut befristet werden. Viele hintereinanderliegende Befristungen werden als Kettenbefristungen bezeichnet. Es gibt keine absoluten zeitlichen Höchstgrenzen für Kettenbefristungen, das BAG hat lediglich eine Missbrauchskontrolle entwickelt, im Rahmen derer an bestimmte Schwellenwerte bestimmte Indizwirkungen geknüpft werden.

Ende mit Ablauf eines festgelegten Datums

Arbeitsverhältnisse, die kalendermäßig, also unter Nennung eines konkreten Beendigungsdatums, befristet sind, enden mit Ablauf des Beendigungsdatums (§ 15 Abs. 1 TzBfG). Die Beendigung tritt hier **automatisch** ein.

cc. Sachgrundbefristung

§ 14 Abs. 1 TzBfG

Für die Sachgrundbefristung muss ein Grund vorliegen. Im § 14 TzBfG in Abs. 1 gibt es eine nicht abschließende Aufzählung von **Gründen**:
- vorübergehender betrieblicher Bedarf an der Arbeitsleistung
- im Anschluss an Ausbildung oder Studium, um Eintritt ins Arbeitsleben zu erleichtern
- zur Vertretung eines anderen Arbeitnehmers
- wegen der Eigenart der Arbeitsleistung
- zur Erprobung
- wegen in der Person des Arbeitnehmers liegenden Gründen
- Vergütung des Arbeitnehmers aus Haushaltsmitteln für eine befristete Beschäftigung
- gerichtlicher Vergleich

Keine abschließende Aufzählung

Liegt einer der Gründe vor, dann kann wegen diesem Grund befristet werden. Es handelt sich aber nur um Beispiele, sodass auch andere Gründe für eine Sachgrundbefristung herangezogen werden können. Der Grund muss im Arbeitsvertrag nicht genannt werden.

Ende bei Zeitbefristung

Auch bei Sachgrundbefristungen wird meistens im Arbeitsvertrag ein **Beendigungsdatum** genannt. Die Arbeitsverhältnisse enden dann mit Ablauf des Beendigungsdatums (§ 15 Abs. 1 TzBfG). Die Beendigung tritt auch hier **automatisch** ein.

Ende bei Zweckbefristung

Komplizierter sieht es bei Befristungen mit Sachgrund aus, die nicht als Zeitbefristungen, sondern als **Zweckbefristungen** ausgestaltet sind. In diesen Fällen ist im Arbeitsvertrag nicht das Beendigungsdatum vereinbart, sondern nur der Zweck der Befristung. Da hier eine Beendigung mit dem Eintritt eines Sachverhalts verknüpft wird, muss für den Arbeitnehmer im Arbeitsvertrag klar erkennbar sein, wann der **Zweck** der Sachgrundbefristung **erfüllt** ist, sodass die Befristung endet.

§ 15 Abs. 2 TzBfG

Da trotz Angabe des Zwecks im Arbeitsvertrag streitig sein kann, ob und wann die Zweckerreichung eintritt, muss der Arbeitgeber dem Arbeitnehmer **schriftlich mitteilen**, wann der Zweck erreicht wurde (§ 15 Abs. 2 TzBfG). Das Gesetz sieht weiter vor, dass nach dieser Mitteilung das Arbeitsverhältnis noch mindestens zwei Wochen weiterbesteht, um den Arbeitnehmer nicht von heute auf morgen auf die Straße zu setzen. Selbstverständlich kann eine längere Frist als die zwei Wochen angewendet werden. Der Arbeitsvertrag, Betriebsvereinbarungen oder Tarifverträge können längere Fristen vorsehen.

dd. Befristung und Rente

Das Arbeitsverhältnis ist nicht automatisch bis zum Erreichen des Alters der **Regelaltersrente** befristet.

Befristung bis zum Renteneintritt

In Arbeitsverträgen, in Betriebsvereinbarungen oder in Tarifverträgen kommt es vor, dass die Beendigung des Arbeitsverhältnisses mit Erreichen der Regelaltersgrenze vereinbart wird. Dies stellt eine Befristung aus einem **Sachgrund** dar. Eine solche Befristung kann wirksam sein; sie bedarf abweichend von § 14 Abs. 4 TzBfG nur der Textform. Die Befristung kann nicht an ein beliebiges Alter anknüpfen. Das Alter, zu dem das Arbeitsverhältnis enden soll, muss das Alter sein, zu dem ein Arbeitnehmer in der Regel **Rente wegen Alters** beantragen kann. Wenn dies nicht eingehalten wird, liegt eine Form der **Altersdiskriminierung** im Sinne des Gleichbehandlungsgesetzes (AGG) vor, da ohne einen ersichtlichen Grund eine Beendigung an ein bestimmtes Alter geknüpft wird.

> **Hinweis:**
> Alte Verträge sehen noch pauschal als Ende den Monat das 65. Geburtstages vor, obwohl der Eintritt in die Regelaltersrente inzwischen schrittweise und nach Altersgruppen differenziert auf das 67. Lebensjahr angehoben wird. Diese alten Verträge werden so ausgelegt, dass die Befristung bis zum Zeitpunkt des Erreichens der jeweils aktuell geltenden Regelaltersrente dauern soll.[38]

38 BAG 9.12.2015 – 7 AZR 68/14.

Beendigung vor dem Renteneintritt

Arbeitnehmer können unter bestimmten Bedingungen bereits vor Erreichen der Regelaltersgrenze eine – durch entsprechende Abschlagszahlungen verringerte – Altersrente beantragen. Soll das Arbeitsverhältnis zu einem solch früheren Zeitpunkt enden, gelten Besonderheiten. Eine entsprechende Befristung kann nur in den **drei Jahren** vor Erreichen des vorgesehenen Beendigungszeitpunktes vereinbart werden. Für den Abschluss von **Altersteilzeitverträgen** gilt die Sonderregelung des § 8 Abs. 3 Altersteilzeitgesetz.

Sieht der ursprüngliche Arbeitsvertrag eine solche Regelung bereits vor, ist diese nur wirksam, wenn der Arbeitnehmer in den drei Jahren vor Erreichen des vorgesehenen Beendigungszeitpunkes diese Regelung nochmal bestätigt.

ee. Keine Beendigung, Informationspflicht

Fortsetzung nach Zweckerreichung/ Zeitablauf

Wird nach Zweckerreichung oder Zeitablauf ein befristetes Arbeitsverhältnis faktisch fortgesetzt – der Arbeitnehmer arbeitet und der Arbeitgeber weiß das – so gilt das Arbeitsverhältnis ab sofort als **auf unbestimmte Zeit verlängert**. Diese Verlängerung kann der Arbeitgeber nur dadurch verhindern, dass er die Arbeit unverzüglich abbricht. Tut er das nicht, kann das Arbeitsverhältnis nur noch durch Kündigung beendet werden – siehe Ausführungen zur Kündigung in diesem Band.

§ 18 TzBfG

Der Arbeitgeber ist verpflichtet, die befristet beschäftigten Arbeitnehmer über unbefristete Arbeitsplätze, die besetzt werden sollen, zu informieren (§ 18 TzBfG).

Der Betriebsrat kann einer unbefristeten Einstellung die Zustimmung verweigern, wenn ein gleich geeigneter befristet Beschäftigter nicht berücksichtigt wird (§ 99 Abs. 2 Nr. 3 BetrVG).

b. Teilzeit

Vereinbarung formlos möglich

Teilzeitarbeit bedeutet, dass der Arbeitnehmer eine Arbeitszeit hat, die **geringer** ist als die Arbeitszeit bei Vollzeittätigkeit. Er erhält auf dieser Basis seinen Lohn anteilig. Auch der Urlaub wird anteilig gewährt. An die Vereinbarung von Teilzeit sind keine Formerfordernisse geknüpft.

aa. Wechsel von Vollzeit auf Teilzeit

Übersicht zum Teilzeitanspruch auf Seite 116f.

In § 8 TzBfG und § 9a TzBfG finden sich zwei Ansprüche, um die im Arbeitsvertrag vereinbarte Arbeitszeit zu reduzieren. Das bedeutet, dass Arbeitnehmer unter bestimmten Voraussetzungen ein **Recht auf Verringerung der Arbeitszeit** haben. Dies kann eine Verringerung der Arbeitszeit von Vollzeit auf Teilzeit, aber auch eine Verringerung der Arbeitszeit innerhalb der Teilzeit sein.

Bei dem Anspruch aus § 8 TzBfG geht es um eine dauerhafte Verringerung der Arbeitszeit auf Teilzeit. Bei dem Anspruch aus § 9a TzBfG geht es um eine Verringerung der Arbeitszeit für einen ein- bis fünfjährigen Zeitraum – dabei handelt es sich um die sogenannte »**Brückenteilzeit**«.

Die Ansprüche haben die folgenden Voraussetzungen:

Voraussetzungen der Teilzeit

- Der Arbeitnehmer muss länger als sechs Monate im Beschäftigungsverhältnis zum Arbeitgeber stehen.
- Der Arbeitgeber muss mehr als 15 Arbeitnehmer ausschließlich der Auszubildenden beschäftigen – bei »Brückenteilzeit« sogar mehr als 45!
- Der Arbeitnehmer muss den Anspruch auf Verringerung der Arbeitszeit gegenüber dem Arbeitgeber mindestens drei Monate vor der Verringerung in Textform geltend machen.
- Dabei muss er dem Arbeitgeber den neuen Umfang der Arbeitszeit mitteilen und soll die Verteilung der Arbeitszeit auf die Wochentage nennen. Bei Brückenteilzeit müssen auch Beginn und Ende der Verringerung genannt werden.

Ablehnung wegen betrieblicher Gründe und bei »Brückenteilzeit« bei Vielzahl von Anträgen

Der Arbeitgeber kann das Verlangen nach Verringerung der Arbeitszeit nur zurückweisen, wenn **betriebliche Gründe** diesem entgegenstehen. Er muss seine Entscheidung dem Arbeitnehmer spätestens einen Monat vor Beginn der Verringerung in Textform mitteilen. Erfolgt dies nicht, verringert sich die Arbeitszeit wie vom Arbeitnehmer verlangt.

Betriebliche Gründe, die dem Anspruch entgegenstehen können, werden im Gesetzestext beispielhaft als

- wesentliche Beeinträchtigung der Organisation,
- wesentliche Beeinträchtigung des Arbeitsablaufs,
- wesentliche Beeinträchtigung der Sicherheit im Betrieb oder
- Verursachung unverhältnismäßiger Kosten

genannt.

> **Beispiel:**
> Der Arbeitgeber kann den Wunsch auf Teilzeit zurückweisen, soweit er in seinem Betrieb ein Organisationskonzept verwendet, mit dem die Teilzeitarbeit des konkreten Arbeitnehmers nicht vereinbart werden kann. Das wurde durch das BAG für einen Kindergarten angenommen, bei dem das pädagogische Konzept vorsah, dass die Gruppenleiter während der gesamten Öffnungszeiten als Verantwortliche anwesend waren.[39]

39 BAG 18.3.2003 – 9 AZR 126/02.

> Beantragt der Arbeitnehmer »Brückenteilzeit«, kann der Arbeitgeber auch wegen der Anzahl der Teilzeitanträge für den Zeitpunkt der beantragten Verringerung ablehnen. Hierzu sieht § 9a Abs. 2 TzBfG vor, wie viele Verringerungen der Arbeitgeber abhängig von der Beschäftigtenzahl zulassen muss.

Erneute Anfrage erst nach zwei Jahren oder einem Jahr möglich

Ein weiteres Verlangen nach Verringerung der Arbeitszeit kann frühestens zwei Jahre nach der Verringerung oder der Versagung der Verringerung erfolgen. Wurde »Brückenteilzeit« wegen der Menge der Anträge nicht gewährt, kann ein neuer Antrag bereits nach einem Jahr gestellt werden. Das gilt auch nach dem Ende der »Brückenteilzeit«.

bb. Wechsel von Teilzeit auf Vollzeit

§ 9 TzBfG

Wie sieht die Lage jedoch aus, wenn ein Arbeitnehmer von Teilzeit zu Vollzeit wechseln will? Hat er dann einen Anspruch darauf?

Aktuell sieht der § 9 TzBfG die Verpflichtung des Arbeitgebers vor, einen Arbeitnehmer, der ihm den Wunsch nach der Verlängerung seiner Arbeitszeit angezeigt hat, bei der Besetzung eines entsprechenden freien Arbeitsplatzes und gleicher Eignung **bevorzugt** zu berücksichtigen – nur in diesem Rahmen besteht ein Anspruch des Arbeitnehmers auf (Rückkehr zur) Vollzeit.

Ein Anspruch auf Vollzeit ist insbesondere vor dem Hintergrund wichtig, dass Teilzeit oft als Falle empfunden wird. Viele machen den Teilzeitanspruch geltend, weil sie mehr Zeit mit ihren Kindern verbringen wollen, haben aber dann, wenn die Kinder nicht mehr so viel Betreuung brauchen, Schwierigkeiten, zurück auf ihre Vollzeitstelle zu wechseln. Der Anspruch auf Teilzeit in Elternzeit (§ 15 Abs. 6, 7 Bundeselterngeld- und Elternzeitgesetz) hilft aufgrund der zeitlichen Begrenzung nur bedingt.

Der Anspruch aus § 9 TzBfG besteht nicht, während eine »Brückenteilzeit« noch läuft.

Der Anspruch aus § 9 TzBfG ist insoweit unzureichend, als das BAG dem Teilzeitarbeitnehmer nur einen **Anspruch auf Schadensersatz** und keinen Anspruch auf die Vollzeitstelle zuspricht wenn der Arbeitgeber die offene Vollzeitstelle mit jemand anderem besetzt. Der Gesetzgeber sollte hier einen vollwertigen Anspruch auf Vollzeit im Gesetz festschreiben, der den Arbeitgeber bei Verstoß nicht nur zur Zahlung von Schadensersatz, sondern zur Beschäftigung in Vollzeit verpflichtet.

Der Betriebsrat kann nach § 99 Abs. 2 Nr. 1 bzw. Nr. 3 BetrVG die Zustimmung zu einer anderweitigen Einstellung, die den Vollzeitwunsch nach § 9 TzBfG vereiteln würde, verweigern.

c. Arbeit auf Abruf

In § 12 TzBfG ist das Modell der Arbeit auf Abruf geregelt. Der Gesetzgeber verwendet die folgende Formulierung:

§ 12 TzBfG

»Arbeitgeber und Arbeitnehmer können vereinbaren, dass der Arbeitnehmer seine Arbeitsleistung entsprechend dem Arbeitsanfall zu erbringen hat (Arbeit auf Abruf).«

Verlagerung des unternehmerischen Risikos

Dieses Konstrukt ist grundsätzlich abzulehnen, da es das unternehmerische Risiko auf den Arbeitnehmer verlagert und ihm nichts im Tausch dafür zukommen lässt. Denn in so einer Konstellation wird der Arbeitnehmer bei schlechter Auftragslage wenig eingesetzt und verdient unabhängig von seinen Bedürfnissen entsprechend wenig. Gleichzeitig wird er bei guter Auftragslage unabhängig von seinen Bedürfnissen mehr eingesetzt, zwar steigt hier das Gehalt, er partizipiert aber nicht etwa direkt am wirtschaftlichen Erfolg des Arbeitgebers. Der Arbeitnehmer kann seine Arbeitszeit und Freizeit und seine Einnahmen und Ausgaben nur **schwer planen**. Zur Verbesserung der zeitlichen Planbarkeit für den Arbeitnehmer hat der Gesetzgeber die Pflicht des Arbeitgebers zur Angabe eines festen Zeitrahmens, innerhalb dessen er die Arbeit abrufen kann, eingeführt. Entspricht der Abruf nicht dem Zeitrahmen, ist der Arbeitnehmer nicht zur Arbeitsleistung verpflichtet.

Tägliche Arbeitszeit

Die gesetzliche Regelung sieht vor, dass die Dauer der täglichen und wöchentlichen Arbeitszeit zwischen dem Arbeitnehmer und dem Arbeitgeber festgelegt sein muss. Soweit die wöchentliche Arbeitszeit nicht festgelegt ist, gilt eine Arbeitszeit von **20 Stunden wöchentlich** als vereinbart. Auch die Regelung einer Mindestarbeitszeit oder einer Höchstarbeitszeit ist zulässig – bei einer Mindestarbeitszeit darf die Arbeitszeit nur bis zu 25 % höher, bei einer vereinbarten Höchstarbeitszeit nur um bis zu 20 % geringer ausfallen. Soweit eine tägliche Arbeitszeit nicht vereinbart ist, ist die Arbeit im Umfang von mindestens **3 Stunden am Stück** abzurufen. Der Arbeitnehmer ist nur zur Arbeitsleistung verpflichtet, wenn der Arbeitgeber ihn mindestens vier Tage vorher zur Arbeit auffordert. Aber: Von diesen Regelungen kann in einem Tarifvertrag auch zu Ungunsten des Arbeitnehmers abgewichen werden! Auch sind die Arbeitnehmer oft auf die Mehreinnahmen angewiesen, sodass sie es akzeptieren, wenn die vier Tage durch den Arbeitgeber nicht eingehalten werden.

Grundsätzlich ist Arbeit auf Abruf eine Unterform der Teilzeitarbeit.

IV. Beendigung des Arbeitsverhältnisses

Das Arbeitsverhältnis ist ein Dauerschuldverhältnis. Es beginnt ab einem gewissen Zeitpunkt und läuft dann dauerhaft weiter, bis es beendet wird. Während der Beginn eines regulären Arbeitsverhältnisses immer ein von beiden Seiten – mündlich oder schriftlich – geschlossener Vertrag ist, können verschiedene Wege das Arbeitsverhältnis beenden.

1. Die Kündigung

Begriffserklärung:
Eine Kündigung ist die Erklärung, das Arbeitsverhältnis zu einem bestimmten Zeitpunkt zu beenden. Eine Kündigung wird von einer Seite erklärt und muss der anderen Seite schriftlich zugehen.

a. Zugang

Erhalt der Kündigung

Es reicht nicht, eine Kündigung nur in die Welt zu setzen. Dem Beschäftigten muss das Schreiben auch zugehen: Er muss es empfangen, damit er weiß, dass er gekündigt wurde. Die Kündigung ist also – juristisch gesprochen – **empfangsbedürftig**. Die Erklärung kann dem Beschäftigten entweder durch direkte Übergabe, aber auch durch Zustellung per Boten oder per Post zugehen. Wird die Kündigung in den Briefkasten geworfen, kommt es nicht darauf an, ob und wann der Gekündigte tatsächlich von ihr erfährt. Im Fall des Briefkastens gilt die Kündigung als zugegangen, wenn nach dem gewöhnlichen Lauf der Dinge damit gerechnet werden kann, dass der Gekündigte von dieser Kenntnis erlangen konnte.[40] Dabei wird davon ausgegangen, dass private Briefkästen täglich geleert werden – unabhängig davon wie das individuelle Verhalten des Gekündigten aus-

40 BAG 20.6.2024 – 2 AZR 213/23.

sieht. Kündigungen, die bis 16:00 Uhr[41] in den Briefkasten eingeworfen werden, gelten an diesem Tag als zugegangen.

Hinweis:
Wird der Betriebsrat zu einer Kündigung angehört, ist es daher hilfreich, bei der Personalabteilung oder bei Kollegen zu erfragen, ob der betroffene Beschäftigte derzeit im Urlaub ist und wenn ja wie lange. Eventuell ist dann der Beschäftigte durch den Betriebsrat auch während des Urlaubs zu kontaktieren, damit dieser ausreichend Zeit hat, sich gegen die Kündigung zu wehren.

b. Schriftform

Jede Kündigung muss schriftlich erfolgen (sog. Schriftformerfordernis).

Begriffserklärung:
Das Schriftformerfordernis gibt vor, dass rechtliche Erklärungen eigenhändig unterschrieben und in Papierform ausgestellt werden müssen.

Textform, Schriftform

Bei dem Wort »schriftlich« unterscheidet sich die rechtliche Bedeutung stark von der Alltagssprache. Das Gesetz (§ 126 BGB) versteht unter Schriftform ausschließlich Schriftstücke auf Papier. Die Schriftstücke müssen eigenhändig unterschrieben sein. **E-Mails, Faxe oder WhatsApp/Handynachrichten** genügen daher nicht der Schriftform – auch wenn sie Text sind. Sie erfüllen nur die sogenannte Textform (§ 126b BGB). Kündigungen müssen schriftlich erfolgen. Mündliches »Kündigen« oder eine E-Mail stellt keine wirksame Kündigung dar.

c. Kündigungsberechtigter Aussteller

Nicht jeder Vorgesetzte kann wirksam eine Kündigung aussprechen. Er muss dazu berechtigt sein. Derjenige, der die Kündigung unterschreibt, muss also ein **bevollmächtigter** Vertreter des Unternehmens sein, der Personalentscheidungen treffen kann. Im Zweifel muss eine entsprechende Vollmacht vorgelegt werden. Bei Prokuristen, Generalbevollmächtigten oder Personalabteilungsleitern ist das nicht nötig, wenn ihre Position aus dem Kündigungsschreiben hervorgeht oder im Betrieb bekannt ist, dass sie diese Position innehaben.

---

41 LAG Köln 17.9.2010 – 4 Sa 721/10; teilweise wird jedoch auch ein Zugang bei Einwurf bis 18:00 Uhr angenommen.

d. Kündigungserklärung

Eigenkündigung, Arbeitgeberkündigung

Eine Kündigung kann von jeder der beiden Seiten erklärt werden. Kündigt der Beschäftigte selbst, spricht man von einer Eigenkündigung; kündigt der Arbeitgeber, spricht man von einer Arbeitgeberkündigung oder umgangssprachlich einfach nur kurz von einer Kündigung.

e. Ordentliche Kündigung

Je nachdem, ab wann eine Kündigung wirken soll, unterscheidet man zwischen einer ordentlichen Kündigung und einer außerordentlichen Kündigung. Bei einer ordentlichen Kündigung endet das Arbeitsverhältnis mit Ablauf der Kündigungsfrist. Die Kündigungsfrist findet sich entweder im Arbeitsvertrag oder im Tarifvertrag oder im Gesetz (BGB). Dabei gilt, dass die Kündigungsfrist, die der Arbeitgeber einzuhalten hat, sich mit zunehmender Betriebszugehörigkeit verlängert. In der Probezeit ist die Kündigungsfrist laut Gesetz nur 2 Wochen lang, § 622 Abs. 3 BGB. Danach beträgt die Kündigungsfrist mindestens vier Wochen zum 15. oder zum Ende eines Kalendermonats. Ab zwei Jahren Dauer der Betriebszugehörigkeit verlängert sich die Kündigungsfrist, § 622 Abs. 2 BGB.

> **Hinweis:**
> Die ordentliche Kündigung wird auch fristgerechte oder fristgemäße Kündigung genannt.

Kündigungsfristen können für den Arbeitgeber und den Beschäftigten unterschiedlich lang sein. Im Arbeitsvertrag können für den Beschäftigten vorteilhaftere Regelungen festgelegt werden als die gesetzlichen Vorgaben. Tarifverträge können sowohl für Beschäftigte als auch für Arbeitgeber kürzere Kündigungsfristen vorsehen als das Gesetz. In der Praxis finden sich in Tarifverträgen abr oft (wesentlich) längere Kündigungsfristen.

f. Fristlose Kündigung

Bei einer außerordentlichen Kündigung endet das Arbeitsverhältnis früher als die Kündigungsfrist dauern würde. Die Kündigungsfrist wird also abgekürzt; **meist** endet das Arbeitsverhältnis **sofort**. Da die außerordentliche Kündigung die massivsten Folgen für den Beschäftigten hat, gelten für sie besondere Voraussetzungen. Es muss ein so wichtiger

Grund vorliegen, dass dem Arbeitgeber nicht zugemutet werden kann, den Beschäftigten bis zum Ende der regulären Kündigungsfrist zu beschäftigen (vgl. § 626 BGB).

> **Hinweis:**
> Außerordentliche Kündigungen werden auch fristlose Kündigungen genannt.

g. Ausschluss von Kündigungen

Keine absolute Ausschlussmöglichkeit

Kündigungen können für beide Parteien nicht komplett ausgeschlossen werden: Wirklich unkündbar ist niemand.
Kündigungen **durch den Beschäftigten** brauchen keinen Grund. Sie können nur durch die Kündigungsfristen zeitlich hinausgezögert werden. Der Beschäftigte hat das Grundrecht auf freie Arbeitsplatzwahl aus Art. 12 Abs. 1 Grundgesetz. Er kann nicht gezwungen werden, auf Dauer an einem Arbeitsplatz zu bleiben, wenn er dies nicht möchte. Aus wichtigem Grund kann er auch außerordentlich kündigen. Auch diese Art der Kündigung kann für ihn nicht ausgeschlossen werden.
Kündigungen **durch den Arbeitgeber** brauchen zwar nahezu immer einen Grund. Es ist jedoch anders als bei Beschäftigten möglich, ordentliche Kündigungen auszuschließen. Das sehen manche Tarifverträge ab einem gewissen Alter und einer bestimmten Betriebszugehörigkeit vor. So können viele Beschäftigte der Metall- und Elektroindustrie ab einer Betriebszugehörigkeit von 10 Jahren nicht mehr ordentlich gekündigt werden, wenn sie 55 Jahre oder älter sind. Dann bleibt einzig und allein der Weg einer außerordentlichen Kündigung aus wichtigem Grund. Absolut unkündbare Mitarbeiterinnen und Mitarbeiter gibt es nicht. Der Arbeitgeber muss bei massiven Beeinträchtigungen die Möglichkeit haben, sich von dem Arbeitsverhältnis wieder zu lösen, um nicht auf Gedeih und Verderb bis zum Renteneintritt an einen Beschäftigten gebunden zu bleiben.

h. Massenentlassungsanzeige

Will der Arbeitgeber eine Vielzahl von Arbeitnehmern kündigen, muss er dies gemäß § 17 KSchG zuvor bei der Agentur für Arbeit anzeigen. Geschieht dies fehlerhaft, ist eine Kündigung unwirksam.[42] Das Verfahren

42 BAG 22.11.2012 – 2 AZR 371/11; EuGH 30.10.2025 – C 134/24, C 402/24 (hier wird es bald neue wichtige Urteile geben).

ist fehleranfällig, und es gibt sehr viele Urteile dazu; bei einer Massenentlassung sollte ein Betriebsrat deshalb eine Kanzlei hinzuziehen.

2. Aufhebungsvertrag

> **Begriffserklärung:**
> Ein Aufhebungsvertrag ist ein Vertrag darüber, einen Arbeitsvertrag unter bestimmten Bedingungen zu beenden.

Schriftform Ebenso wie die Kündigung muss der Aufhebungsvertrag schriftlich, d. h. mit einem eigenhändig unterschriebenen Papier geschlossen werden (§ 623 BGB).

Abwicklungsvertrag Wurde schon gekündigt, kann in einem Vertrag geregelt werden, wie mit den Folgen der Kündigung umgegangen werden soll. Dieser Vertrag heißt dann Abwicklungsvertrag. Er beendet das Arbeitsverhältnis nicht wie der Aufhebungsvertrag, sondern legt den Umgang mit der Kündigung fest.

Aufhebungsvertrag und Vergleich Auch wenn der Beschäftigte schon gegen die Kündigung vor dem Arbeitsgericht klagt, kann ein Abwicklungsvertrag geschlossen werden. Dies geschieht in Form des sogenannten Vergleichs. Dabei einigen sich die Parteien auf den Inhalt und lassen diesen als Vergleich vom Gericht feststellen. Der Vergleich beendet damit das Gerichtsverfahren und den Streit über die Kündigung. Das hat den Vorteil, dass ein gerichtlicher Vergleich in einer **vollstreckbaren Ausfertigung** ausgestellt werden kann. Damit lässt sich eine Zwangsvollstreckung einleiten, wenn der Arbeitgeber zum Beispiel die Abfindung nicht zahlt.

a. Vorteile

Vermeidung von Gerichtsverfahren Aufhebungsverträge mit Abfindungen werden durch den Arbeitgeber vermehrt dann angeboten, wenn er Mitarbeiter abbauen will, ohne dass er tragfähige Gründe für eine Kündigung hat. Arbeitgeber können über Aufhebungsverträge Mitarbeiter freiwillig zum Ausscheiden aus dem Betrieb bewegen. Der bedeutendste Vorteil für Arbeitgeber ist jedoch, Klagen gegen seine Kündigungen zu vermeiden. Denn nicht nur kosten gerichtliche Verfahren eine Menge Geld. Verfahren können sich über einen langen Zeitraum erstrecken und der Erfolg oder Misserfolg ist oftmals zu Beginn nicht absehbar.

Die Vermeidung eines Gerichtsverfahrens mit ungewissem Ausgang ist auch einer der Vorteile für viele Beschäftigte. Mit einem Aufhebungsvertrag weiß man schnell, woran man ist, und kann seine weitere Lebens- und Berufsplanung auf einer sicheren Grundlage treffen. Durch erfolgreiche Verhandlungen lassen sich in Aufhebungsverträgen außerdem Bedingungen aushandeln, die man sonst nicht bekäme, weil man keinen Rechtsanspruch darauf hat. So können Beschäftigte hier beispielsweise Abfindungszahlungen, (anteilige) Sonderzahlungen oder Zugeständnisse bei der Zeugniserteilung festlegen, die sie selbst im Fall einer erfolgreichen Klage nicht erhalten würden.

Aushandeln von Sonderzahlungen

b. Nachteile

Aufhebungsverträge haben trotz der genannten Vorteile auch handfeste Nachteile. An erster Stelle steht, dass Beschäftigte, die im Anschluss arbeitslos werden, mit einer Sperre von drei Monaten beim Bezug von Arbeitslosengeld (ALG I) rechnen müssen. Der Betroffene erhält dann für die ersten drei Monate der Arbeitslosigkeit kein ALG I, sondern lediglich Sozialleistungen zur Sicherung des Existenzminimums, wenn er absolut keine Ersparnisse hat. Die Anspruchskürzung kann unter Umständen über diese drei Monate hinausgehen. Der Anspruch auf ALG I verkürzt sich bei einer Sperre wegen Aufgabe des Arbeitsplatzes um mindestens 25 % gemäß § 148 Abs. 1 Nr. 4 SGB III. Bei einem Anspruch auf ALG I über zwölf Monate bleibt es also bei der Sperre von drei Monaten. Besteht der ALG I-Anspruch über mehr als zwölf Monate, kommen entsprechend mehr Monate hinzu, für die der ALG I-Anspruch wegfällt.

3-monatige Sperre für ALG I-Bezug

Beispiel:
Eine 58-jährige Beschäftigte hat einen Anspruch auf ALG I für die Dauer von 24 Monaten. Wird gegen sie eine Sperre verhängt, erhält sie die ersten drei Monate kein ALG I und die letzten drei Monate kein ALG I. Denn der Anspruch von 24 Monaten wird um 25 % auf 18 Monate gekürzt.

Der Gedanke dahinter ist, dass der Betroffene dafür sanktioniert werden soll, an dem Verlust des Arbeitsplatzes mitgewirkt zu haben und so für die Arbeitslosigkeit mitverantwortlich zu sein.
Eine solche Sperre droht jedoch in der Regel nicht, wenn der Aufhebungsvertrag als Vergleich **vor Gericht** geschlossen wird, vgl. Seite 62f. oben. Denn durch die Klageerhebung hat der Beschäftigte aus Sicht der Arbeits-

Keine Sperre bei Vergleich oder bei gutem Grund

agentur ausreichend bewiesen, sich gegen den Verlust des Arbeitsplatzes **zur Wehr gesetzt** zu haben.
Eine Sperre kann auch entfallen, wenn es einen guten Grund gab, das Arbeitsverhältnis aufzugeben. Zum Beispiel wenn die Familie umzieht oder die Arbeit auf ärztlichen/psychotherapeutischen Rat hin aufgegeben wird.

Ruhen des Bezugs

Übrigens ruht die Zahlung von ALG I auch, so lange im Anschluss an das Arbeitsverhältnis rechnerisch noch **Arbeitsentgelt** und **Urlaubsabgeltung** gezahlt wird, § 157 SGB III.

> **Beispiel:**
> Bekommt der Beschäftigte also zum Beispiel vier Tage restlichen Urlaub am Ende ausbezahlt, erhält er vier Tage lang kein ALG I. Diese Regelung verkürzt aber den Anspruch insgesamt nicht. Das ALG I beginnt nur später – in diesem Fall vier Tage.

Abwicklungsvertrag

Im Falle eines Abwicklungsvertrages – also dem Vertragsschluss nach einer Arbeitgeberkündigung – kann es zu Sperren kommen, muss es aber nicht. Dies lässt sich im Vorfeld nicht sicher vorhersehen, weil die Arbeitsagenturen das unterschiedlich handhaben oder die Umstände im Einzelfall für oder gegen eine Sperre sprechen. Das Risiko zulasten des Beschäftigten ist daher im Vorfeld nicht auszuschließen.
Unwahrscheinlicher wird eine Sperre in jedem Fall, wenn zwei zentrale Punkte beachtet werden:

- Erstens muss für das Beendigungsdatum im Abwicklungsvertrag die **Kündigungsfrist** eingehalten werden.
- Zweitens darf die Abfindung nicht **ungewöhnlich hoch** sein.

Hilfreich ist es auch, wenn im Eingangssatz des Abwicklungsvertrages steht, dass er zur Vermeidung bzw. aus Anlass einer Arbeitgeberkündigung aus betrieblichen Gründen oder aus Gründen der Person des Beschäftigten geschlossen wurde.

Anrechnung der Abfindung auf Ruhenszeiten

Eine weitere sozialrechtliche Gefahr liegt darin, dass nach einer Abfindungszahlung der ALG I-Anspruch gemäß § 158 SGB III ruht. Der Gedanke hierbei ist, dass die Abfindung gerade als Ausgleich für die Nachteile des Arbeitsplatzverlustes gezahlt wurde. Daher soll der Arbeitslose diese Abfindung auch zu einem Großteil für die Abmilderung der Folgen einsetzen müssen. Sprich, dem Beschäftigten wird ein Teil der Abfindung dadurch wieder genommen, dass er kein Arbeitslosengeld erhält und so gezwungen wird, die Abfindung für seinen Lebensunterhalt zu verwenden. Diese Regelung wird angewendet, wenn das Arbeitsverhältnis ohne Einhaltung der ordentlichen Kündigungsfrist beendet wurde oder wenn

Beschäftigte, die in der Situation eigentlich unkündbar waren, einen Aufhebungsvertrag schließen. In dieser Regelung liegt ein zusätzlicher Grund, unbedingt die Kündigungsfrist bei der Festlegung des Beendigungsdatums einzuhalten!

Generell sollte wegen solcher Risiken kein Aufhebungsvertrag ohne Beratung durch einen Anwalt oder die Gewerkschaft unterschrieben werden. **!**

Risikobewusst verhandeln

Das Risiko sozialrechtlicher Nachteile trifft allein den Beschäftigten. Dieses Risiko sollte daher unbedingt Teil der Vertragsverhandlungen sein. Beispielsweise kann die entsprechende Anhebung der Abfindungssumme für den Fall gefordert werden, dass die Arbeitsagentur keine Leistungen bewilligt oder einen Teil der Abfindung anrechnet. Alternativ ist es in einigen Fällen auch ratsam, statt einer höheren Abfindung das Arbeitsverhältnis länger fortzusetzen – eventuell auch ohne weiterarbeiten zu müssen (Stichwort Freistellung). So kann man ein paar Monate »dazukaufen«, indem in der Abfindungssumme Abstriche hingenommen werden. Gerade wenn die Arbeitsmarktchancen des Beschäftigten nicht allzu schlecht stehen, kann mit einer längeren Fortsetzung des Arbeitsverhältnisses darauf spekuliert werden, eine unmittelbare Anschlussbeschäftigung zu finden und somit Probleme beim ALG I-Bezug vollkommen zu umgehen.

Hinweis:
Die sozialrechtlichen Folgen der Beendigung eines Arbeitsverhältnisses durch einen Aufhebungsvertrag sind vielschichtig. Hier wurde nur ein kleiner Ausschnitt angerissen. Ein leicht verständlicher und praxistauglicher Ratgeber ist der »Leitfaden für Arbeitslose – Der Rechtsratgeber zum SGB III«, der regelmäßig aktualisiert vom Arbeitslosenprojekt TuWas im Fachhochschulverlag herausgegeben wird.
In jedem Fall sollten Beschäftigte sich unbedingt von einer Anwaltskanzlei beraten lassen oder zu ihrer Gewerkschaft gehen, bevor sie irgendetwas unterschreiben.

c. Abfindungszahlungen

Kein grundlegendes Recht

Anders als in anderen Rechtsordnungen gibt es in Deutschland kein pauschales Recht auf eine Abfindungszahlung bei Verlust des Arbeitsplatzes. Viele Beschäftigte gehen fest davon aus, sie bekämen in jedem Fall eine Abfindung gezahlt. Abfindungszahlungen sind aber immer nur das **Ergebnis von Verhandlungen**, es sei denn, es gibt einen Sozialplan, der Abfindungen vorsieht.

aa. Die Höhe üblicher Abfindungszahlungen

Wenn ein Aufhebungsvertrag verhandelt wird, stellt sich die Frage, wie hoch die Abfindung sein soll. Üblich sind Abfindungen in Höhe von 0,5 Monatsverdiensten für jedes Jahr der Betriebszugehörigkeit.
Die Höhe des Monatsverdienstes richtet sich entsprechend § 10 Abs. 3 KSchG danach, was dem Beschäftigten nach der für ihn maßgebenden regelmäßigen Arbeitszeit in dem Monat, in dem das Arbeitsverhältnis endet, an Geld und Sachbezügen zusteht. Es zählen also auch Schichtzuschläge, Weihnachtsgeld usw. dazu.
In der Praxis hat sich mancherorts Folgendes als übliche Abfindungen – abhängig vom Alter und damit auch den Arbeitsmarktchancen – etabliert:

- für unter 45-jährige 0,5 Bruttomonatsgehälter pro Jahr,
- für 45 bis 50-jährige 0,75 Bruttomonatsgehälter und
- für über 50-jährige 1,0 Bruttomonatsgehälter pro Jahr der Betriebszugehörigkeit.

Diese Zahlen können jedoch nur grobe Anhaltspunkte sein. Sie variieren auch von Branche zu Branche und nach den unterschiedlichen Unternehmenskulturen.

bb. Erhöhende Faktoren im Einzelfall

Neben den so berücksichtigten Faktoren Alter und Dauer der Betriebszugehörigkeit können weitere Faktoren eingebracht werden, um die Abfindungszahlungen nach oben zu verhandeln:

- **Schwerbehinderungen** und die Gleichstellung mit einem schwerbehinderten Menschen,
- die Chancen auf dem Arbeitsmarkt,
- dauerhafte Gesundheitseinschränkungen z. B. nach einem Betriebsunfall,
- **Unterhaltspflichten** gegenüber Kindern oder nahen Angehörigen.

Diese Aspekte können als Argumente vorgetragen werden. Mit etwas Verhandlungsgeschick lassen sich so Erhöhungen erzielen. Im Aufhebungsvertrag selbst sollte dann der anhand des Faktors berechnete Betrag als Zahl genannt werden. Letztendlich hängt die Höhe der Abfindung aber auch davon ab, welche Chancen sich ein Arbeitgeber im Kündigungsschutzprozess ausrechnet. Je wackeliger die Kündigungsgründe (oder je unbequemer Beschäftigte) sind, desto eher wird er bereit sein, über marktübliche Abfindungszahlungen hinauszugehen.

cc. Fünftel-Regelung

Die Beträge in Aufhebungsverträgen sind Brutto-Beträge. Abfindungen sind nur steuerpflichtig, nicht aber sozialversicherungspflichtig. Abfindungen werden steuerlich zudem privilegiert. Abfindungen können als außerordentliche Einkünfte gemäß § 34 Einkommenssteuergesetz (EStG) im Rahmen der Einkommensteuer angegeben werden. Dabei greift die sogenannte Fünftel-Regelung: Die Abfindung wird zwar in der Regel auf einmal ausgezahlt, steuerlich werden diese Einnahmen jedoch so behandelt, als wären sie über fünf Jahre hinweg gleichmäßig verteilt eingenommen worden. Dadurch ergeben sich Vorteile bei der Steuerprogression. Der Termin, zu dem die Abfindung ausgezahlt werden muss, kann im Rahmen des Aufhebungsvertrages frei vereinbart werden. Es lohnt sich also im Vorfeld mit dem Steuerberater zu besprechen, wann eine Auszahlung sinnvoll ist.
Aus diesem steuerlichen Grund muss auch penibel darauf geachtet werden, dass die Abfindung **keinerlei Entgeltcharakter** bekommt. Denn sonst geht die Steuerprivilegierung verloren und Sozialversicherungsbeiträge werden fällig. Es sollte also nicht eine Gesamtsumme aller offenen Ansprüche des Beschäftigten gebildet und als Abfindung bezeichnet werden. D.h., dass z.B. die Auszahlung von Überstunden oder Weihnachtsgeld im Aufhebungsvertrag gesondert geregelt werden müssen.

d. Weitere mögliche Aspekte eines Aufhebungsvertrages

Rechtssicherheit schaffen

Der Aufhebungsvertrag soll alle offenen Fragen klären und so umfassende Rechtssicherheit für beide Seiten bieten. Neben der Frage, wann und mit welcher Abfindung das Arbeitsverhältnis enden soll, bietet es sich an, folgende Punkte mit zu regeln:

- Angabe der Kündigungsgründe
- Freistellung von der Arbeitsleistung unter Fortzahlung des Entgelts
- Überstundenabgeltung
- Urlaub
- Sonderzahlungen wie Urlaubsgeld und Weihnachtsgeld, Provisionszahlungen und Prämien
- Zeugniserstellung
- Ausstellung weiterer Arbeitspapiere
- Rückgabe von Eigentum
- Finanzierung von Arbeitsmarktcoaching/Outplacement
- sonstige Punkte wie Rückzahlung von Ausbildungskosten, Arbeitgeberdarlehen, Schadensersatzansprüche oder Arbeitnehmererfindungen

Stellschrauben in der Verhandlung

Ein Vorteil von Aufhebungsverträgen kann sein, für den Beschäftigten eine individuell angepasste Lösung zu finden, was durch Gerichtsurteile in der Regel nicht möglich ist. In den Verhandlungen wird sich jedoch nicht in jedem Punkt das Maximum durchsetzen lassen. Vielmehr sehen typische Verhandlungen so aus, dass an der einen Stelle dazugegeben werden kann, was dafür an der anderen Stelle weggenommen wird. Die Frage, worauf der Schwerpunkt gelegt werden soll, ist dabei vom einzelnen Beschäftigten abhängig. So kann beispielsweise für den einen eine höhere Abfindungssumme wesentlich wichtiger sein als für den anderen, der auf einen Großteil der Abfindungssumme verzichtet und dafür einige Monate länger im sozialversicherungspflichtigen Arbeitsverhältnis verbleiben kann – in der Hoffnung, diese Zeit zur Suche einer lückenlosen Folgebeschäftigung zu nutzen.

Achtung: Abgeltungsklauseln

Gerne wird insbesondere von Arbeitgeberseite eine sogenannte Abgeltungsklausel aufgenommen. Diese schließt die Geltendmachung weiterer Ansprüche, die nicht im Aufhebungsvertrag geregelt sind, pauschal aus. Das könnten zum Beispiel Schadensersatzansprüche gegen den Arbeitgeber sein oder Ansprüche auf vermögenswirksame Leistungen. Da in der Regel eher der Beschäftigte noch im Nachhinein Ansprüche gegenüber dem Arbeitgeber hat, ist hier besondere Vorsicht geboten. Die beste Wahl ist, eine Abgeltungsklausel komplett wegzulassen. Sollte die Gegenseite darauf bestehen, gibt es **zwei Wege**:

- Entweder müssen alle noch offenen Ansprüche im Aufhebungsvertrag abschließend mit geregelt werden oder
- Themengebiete müssen im Absatz zu der Abgeltungsklausel ausgenommen werden. Dann bleiben die Ansprüche aus dem genannten Themengebiet erhalten und verfallen nicht. Sie können auch später gesondert geltend gemacht werden.

Hinweis:
Oft wird versucht, Beschäftigte so stark unter Druck zu setzen, dass sie überstürzt einen Aufhebungsvertrag unterschreiben. Aus dem Nichts heraus werden Beschäftigte ins Personalbüro gebeten. Dann wird ihnen ein Aufhebungsvertrag vorgelegt und gesagt, dass sie ansonsten eine Kündigung oder ein schlechtes Zeugnis bekommen. In solchen Situationen gelten vor allem zwei Regeln: 1. **Nichts unterschreiben** ohne ordentliche Prüfung, gegebenenfalls durch Anwaltskanzlei oder Gewerkschaft! 2. **Ruhe bewahren** – zeitlicher Druck spielt meistens nur der Arbeitgeberseite in die Hände! Ob ein Aufhebungsvertrag zu empfehlen ist oder nicht, kann nicht pauschal beantwortet werden. Im einen Fall ist es die deutlich bessere Variante, während es im anderen Fall unterm Strich ungünstiger ist als eine Kündigung und die Abwicklung des Arbeitsverhältnisses nach den gesetzlichen Vorschriften.

3. Beendigung durch Fristablauf und Zweckerreichung

Befristete Arbeitsverhältnisse enden, wenn die vorgesehene Zeit abläuft oder der Zweck der Befristung erfüllt ist. So endet es zum Beispiel, wenn der Zweck, eine Vertretung während der Elternzeit sicherzustellen, erreicht ist, weil das Elternteil aus der Elternzeit zurückkommt und die Beschäftigung wieder selbst übernehmen kann.

Näheres zur Befristung auf Seite 51 ff.

Auch kann im Arbeitsvertrag eine auflösende Bedingung festgehalten werden, zum Beispiel, dass das Arbeitsverhältnis endet, wenn ein Pilot gesundheitlich fluguntauglich wird.[43] Tritt die Bedingung ein – der Pilot wird fluguntauglich – endet das Arbeitsverhältnis.

4. Beendigung durch den Renteneintritt oder den Tod

a. Renteneintritt

Im Arbeitsvertrag, in einer Betriebsvereinbarung oder in Tarifverträgen kann das Arbeitsverhältnis befristet werden bis zum Renteneintritt. Ein Arbeitsvertrag mit einer solchen Befristung gehört ebenfalls zu den befristeten Verträgen. Die Befristung kann jedoch nicht ein beliebiges Alter nennen. Vielmehr muss das Alter, zu dem das Arbeitsverhältnis enden soll, das Alter sein, zu dem ein Beschäftigter in der Regel Rente wegen Alters beantragen kann.[44] Ansonsten liegt eine Form der Altersdiskriminierung vor.

Näheres zu Rente und Befristungen auf Seite 53 f.

Etliche alte Verträge sehen noch pauschal als Ende des Arbeitsverhältnisses den Monat des 65. Geburtstages vor. Inzwischen wird der Eintritt in die Regelaltersrente jedoch schrittweise auf das 67. Lebensjahr angehoben. Diese alten Verträge werden so behandelt, dass sie bis zum Zeitpunkt des Erreichens der Regelaltersrente dauern.

Altersteilzeit

Auf vergleichbare Art kann ein Arbeitsverhältnis bis zu dem Zeitpunkt, in dem der Betroffene einen Anspruch auf Rente wegen Altersteilzeit hat, befristet werden.

43 Vorher muss aber ein betriebliches Eingliederungsmanagement durchgeführt werden – BAG 20.5.2020 – 7 AZR 83/19.

44 EuGH 7.3.2018 – C-494/16.

Außerdem können Beschäftigte unter bestimmten Bedingungen schon vor Erreichen der Regelaltersgrenze eine – durch entsprechende Abschlagszahlungen verringerte – Altersrente beantragen und somit früher gehen. Ein entsprechender Altersteilzeitvertrag kann aber nur in den drei Jahren vor Erreichen der Regelaltersgrenze vereinbart werden. Nicht vorher. Es kann also nicht ein 45-jähriger Beschäftigter vereinbaren, mit 62 Jahren in Altersteilzeit zu gehen und im Anschluss früher Altersrente zu beziehen.

Rentenalter ist kein Kündigungsgrund

Das Erreichen des Rentenalters ist für sich genommen kein wirksamer Kündigungsgrund. Will der Arbeitgeber das Arbeitsverhältnis wegen des Alters beenden, muss es eine entsprechende Befristung geben. Er kann zum Beispiel nicht wegen des Alters kündigen. Denn das wäre eine **Altersdiskriminierung**.

b. Tod

§ 613 BGB sieht vor, dass Dienste persönlich erbracht werden müssen. D.h., dass das Arbeitsverhältnis mit dem Tod des Beschäftigten endet und nicht etwa auf seine Erben übergeht. Es gibt jedoch manche Ansprüche aus dem beendeten Arbeitsverhältnis, die vererblich sind. Hierzu gehören beispielsweise noch ausstehende Lohnzahlungen, Abgeltung für übrige Urlaubstage[45] oder gewisse Abfindungszahlungen. Nicht alle Erben wissen das und freuen sich gewiss über den Hinweis.

5. Das Arbeitszeugnis

a. Arten von Zeugnissen

Bei Beendigung eines Arbeitsverhältnisses hat jeder Beschäftigte Anspruch auf ein schriftliches Zeugnis, § 109 Abs. 1 Satz 1 GewO.

Einfach und qualifiziert

Ein sogenanntes einfaches Arbeitszeugnis nennt nur **Art** und **Dauer** des Arbeitsverhältnisses und die währenddessen ausgeübten **Tätigkeiten**.
Ein sogenanntes qualifiziertes Zeugnis beinhaltet neben diesen Beschreibungen auch eine Beurteilung hinsichtlich der **Leistung** und dem **Verhalten** des Beschäftigten, § 109 Abs. 1 Satz 3 GewO. Ein qualifiziertes

45 BAG 22.1.2019 – 9 AZR 45/16; EuGH 6.11.2018 – C-569/16, C-570/16.

Zeugnis muss auf Wunsch des Beschäftigten ausgestellt werden, auch wenn das Arbeitsverhältnis nur kurz dauerte.[46]

Zwischenzeugnis

Während des Arbeitsverhältnisses kann ein Zwischenzeugnis ausgestellt werden. Der Beschäftigte hat jedoch nur das Recht, dies zu verlangen, wenn er ein **berechtigtes Interesse** hat und ein Anlass zur Zeugnisausstellung besteht. Berechtigte Interessen sind beispielsweise die Ankündigung einer Kündigung, ein Vorgesetztenwechsel, der Beginn einer Auszeit (Elternzeit, Sabbatical, ...), ein Betriebsübergang, wenn sich der Beschäftigte auf neue Stellen bewerben will oder das Zwischenzeugnis Behörden oder Gerichten vorlegen muss oder wenn der Beschäftigte demnächst versetzt wird. Inhalt und Form müssen wie bei einem Endzeugnis ausfallen.
Besondere Bedeutung kommt einem Zwischenzeugnis für das Endzeugnis zu. Denn das Zwischenzeugnis, das vor nicht allzu langer Zeit ausgestellt wurde, bindet den Arbeitgeber ein Stück weit an die Bewertung im Endzeugnis.

b. Form des Zeugnisses

Mindestanforderungen

Das Zeugnis muss mit einer passenden Überschrift auf dem Unternehmensbriefpapier ausgestellt und eigenhändig unterschrieben werden. Unterschreiben muss es derjenige, der im Unternehmen über Personalangelegenheiten entscheiden kann bzw. der fachliche Vorgesetzte. Das Zeugnis muss einen äußerlich ordentlichen Eindruck machen. Es darf daher keine Flecken, Durchstreichungen, Rechtschreib- oder Grammatikfehler enthalten. Heftklammern und das zweimalige Falten von Zeugnissen werden von den Gerichten aber akzeptiert.
Das Zeugnis muss außerdem das Datum der Ausstellung tragen. Erteilt der Arbeitgeber das Zeugnis zu spät, zum Beispiel erst nach Beendigung eines Kündigungsschutzprozesses, kann das Datum auf den Beendigungszeitpunkt des Arbeitsverhältnisses **rückdatiert** werden.

c. Inhalt des Zeugnisses

Allgemeine Grundsätze

Für den Inhalt des Zeugnisses gelten die Grundsätze der Zeugniswahrheit, Zeugnisklarheit, die Vollständigkeit des Zeugnisses und dass der Arbeitgeber das Zeugnis **wohlwollend** formulieren muss, um das berufliche Fortkommen des Beschäftigten zu fördern.

Mindestanforderungen

Das Zeugnis sollte folgende Grundelemente enthalten:

46 LAG Köln 30.3.2001 – 3 Sa 1485/00.

- Die **Leistungsbeurteilung** muss die Arbeitsfähigkeit, den Arbeitsumfang, die Arbeitsbereitschaft, den Einsatz, die Ausdauer, die Sorgfältigkeit und die Arbeitsergebnisse umfassen. Die genaue Formulierung wählt der Arbeitgeber.
- Die **Verhaltensbeurteilung** muss das Verhalten gegenüber Vorgesetzten, Kollegen, Mitarbeitern und Dritten umfassen.
- Den **Abschluss** kann eine Bedankens-Bedauerns-Formel mit Zukunftswünschen bilden. Dabei ist darauf zu achten, dass »weiterhin« viel Erfolg gewünscht wird.
- Auf Wunsch des Beschäftigten ist der **Beendigungsgrund** pauschal anzugeben – also zum Beispiel, dass das Arbeitsverhältnis aus betriebsbedingten Gründen endet.
- Nicht enthalten sein dürfen Hinweise auf die **Tätigkeit im Betriebsrat** oder außerdienstliche Aspekte.

Keine Geheimzeichen

Verboten sind nach § 109 Abs. 2 GewO auch Geheimzeichen, die den Zweck haben, eine andere als aus der äußeren Form oder aus dem Wortlaut ersichtliche Aussage über den Beschäftigten zu treffen.

Die Bewertung nach der Notenskala

Das Ende eines qualifizierten Zeugnisses bildet eine **Abschlussnote**. Inzwischen hat sich dafür die sogenannte Zufriedenheitsskala etabliert. Dabei werden die Noten 1–6 folgendermaßen übersetzt:

Note		Übersetzung
1	Sehr gut	Sie arbeitete stets zu unserer vollsten Zufriedenheit
2	Gut	… stets zu unserer vollen Zufriedenheit
3	Befriedigend	… zu unserer vollen Zufriedenheit
4	Ausreichend	… zu unserer Zufriedenheit
5	Mangelhaft	… im Großen und Ganzen zu unserer Zufriedenheit
6	Ungenügend	Sie war in der Lage, die Arbeiten auszuführen

Die Gesamtbeurteilung muss sich auch in der Schlussformel widerspiegeln.

d. Gerichtliche Durchsetzung

Ausstellung, Berichtigung, Beweislast

Der Beschäftigte kann vor dem Arbeitsgericht darauf klagen, dass ihm ein Zeugnis **ausgestellt** wird.
Ist das Zeugnis fehlerhaft, kann vor Gericht die **Berichtigung** eingeklagt werden. Dabei wird rechtlich von einer Note 3 ausgegangen. Eine bessere Beurteilung hat der Beschäftigte zu beweisen, eine schlechtere Beurteilung der Arbeitgeber. Zeugnisklagen sind daher oft mehr Steine als Brot. Darüber hinaus besteht kein Rechtsanspruch auf die sogenannte Abschieds- und Gute-Wünsche-Formel. Es ist also ins Belieben des Arbeitgebers gestellt, ob er dem Beschäftigten am Ende des Zeugnisses für die gute Zusammenarbeit dankt und ihm für seinen weiteren beruflichen Lebensweg viel Erfolg und alles Gute wünscht.

V. Grundlagen des Kündigungsschutzes

1. Das Kündigungsschutzgesetz und die Kündigungsschutzklage

Idee des Kündigungsschutzes

Für die allermeisten Menschen ist ihre Lohnarbeit die Existenzgrundlage. Der Arbeitsplatz ist für sie von sehr großer Bedeutung und der Beschäftigte ein Stück weit auf die Fortsetzung des Arbeitsverhältnisses angewiesen. Deshalb soll ein Arbeitgeber das Arbeitsverhältnis nur beenden dürfen, wenn bestimmte Bedingungen eingehalten werden. Der Beschäftigte soll nicht der **Willkür** des Arbeitgebers ausgesetzt sein: Eine Kündigung darf nicht willkürlich sein.

> **Begriffserklärung:**
> Willkürlich meint, dass es keinen sachlichen Grund gibt.

Willkürlich ist es, wenn der Arbeitgeber einfach tun und lassen könnte, was er möchte. Der Kündigungsschutz zieht dem Arbeitgeber aber **Grenzen**. Die Macht, die er hat, weil die Beschäftigten durch ihre Arbeit Geld verdienen müssen, soll gebremst werden. Für eine Kündigung werden deshalb stichhaltige Gründe gefordert, die im Zweifel durch den Arbeitgeber vor Gericht zu beweisen sind. Hält sich der Arbeitgeber nicht an die Regeln des Kündigungsschutzrechts, ist eine Kündigung unwirksam. Das heißt, die Kündigung hat keine Auswirkung auf das Arbeitsverhältnis und beendet es nicht. Wird ein Beschäftigter gekündigt, kann er sich hiergegen – auch zusammen mit dem Betriebsrat – wehren und die Kündigung vor dem Arbeitsgericht in einem sogenannten Kündigungsschutzprozess überprüfen lassen.

a. Schutz nach dem Kündigungsschutzgesetz und dem BGB

Das zentrale Gesetz zur Bewertung, ob eine Kündigung wirksam ist oder nicht, ist das Kündigungsschutzgesetz, kurz KSchG. Es bietet einen umfangreicheren Kündigungsschutz als das BGB. Es fordert für jede Kündigung einen Kündigungsgrund. Damit das KSchG für die Überprüfung angewendet wird, müssen einige Voraussetzungen erfüllt sein.

aa. Dauer des Arbeitsverhältnisses

§ 1 KSchG

Ein Beschäftigter erhält durch das KSchG nur Schutz, wenn sein Arbeitsverhältnis im Zeitpunkt der Kündigung schon länger als **sechs Monate** besteht, § 1 KSchG.

Keine Anwendung auf bestimmte Gruppen

Ausgenommen vom Schutzbereich sind aufgrund ihrer Position Geschäftsführer, Betriebsleiter und ähnliche leitende Angestellte, wenn sie zur selbstständigen Einstellung und Entlassung von Beschäftigten berechtigt sind, § 14 KSchG.

Ebenfalls keine Anwendung findet das Kündigungsschutzgesetz auf Auszubildendenverhältnisse. Diese sind aber ohnehin nach ihrer Probezeit grundsätzlich nicht ordentlich kündbar, § 22 Abs. 2 BBiG.

bb. Größe des Betriebs

Kleinunternehmen

In kleinen Unternehmen kommt der weitergehende Schutz des Kündigungsschutzgesetzes den Beschäftigten nicht zugute. Sie sind nur durch den Kündigungsschutz des BGB geschützt.

Schwellenwert

Ob das Kündigungsschutzgesetz Anwendung findet, richtet sich nach der Betriebsgröße. Vereinfacht gesagt gilt für Arbeitsverhältnisse, die vor dem 31. 12. 2003 begonnen haben, dass es mehr als **fünf Beschäftigte** sein müssen. Für Arbeitsverhältnisse, die nach dem 31. 12. 2003 begonnen haben, liegt die Grenze bei mehr als **zehn Beschäftigten**.

Berechnung der Betriebsgröße

Bei der Berechnung, wie viele Beschäftigte ein Betrieb hat, bleiben Auszubildende unberücksichtigt. Teilzeitkräfte werden jedoch anteilig berücksichtigt. Eine Teilzeitkraft mit einer wöchentlichen Arbeitszeit von bis zu 20 Stunden zählt als 0,5 Beschäftigte und Teilzeitkräfte mit einer wöchentlichen Arbeitszeit von mehr 20–30 Stunden zählen als 0,75 Beschäftigte, § 23 KSchG. Gleichwertig zu berücksichtigen sind auch Beschäftigte in Elternzeit und leitende Angestellte sowie Leiharbeitnehmer, wenn ihr Einsatz auf einem »in der Regel« vorhandenen Personalbedarf beruht.[47]

---

47 BAG 24. 1. 2013 – 2 AZR 140/12.

Erreichen einzelne Betriebe die Schwellenwerte nicht, unterhält der Inhaber jedoch weitere Betriebe, findet die Kleinbetriebsklausel keine Anwendung. Der Inhaber braucht hier keine Schonung vor den erhöhten Kündigungsschutzanforderungen, auch wenn der einzelne Betrieb unterhalb der Schwelle liegt.[48]

b. Der Gang zum Gericht: Die Kündigungsschutzklage

Klage vor dem Arbeitsgericht

Gegen jede Kündigung kann vor den Arbeitsgerichten geklagt werden. Das Gericht überprüft, ob die Kündigung den Anforderungen entspricht und »wirksam« ist, also Wirkung entfaltet und das Arbeitsverhältnis beendet oder nicht. Hat der Arbeitgeber das geforderte Kündigungsverfahren eingehalten, gilt die Kündigung. Gewinnt der Beschäftigte den Prozess, war die Kündigung **von Anfang an** unwirksam. Er kann unter Umständen für den gesamten Zeitraum das Gehalt nachfordern, ohne selbst die versäumten Stunden nacharbeiten zu müssen. Hierzu sollte man sich beraten lassen, weil es auch Gerichte gibt, die fordern, dass zumindest für die Zeit nach der Kündigungsfrist andere Arbeit angenommen und der Verdienst daraus angerechnet werden müsse.[49]

> **Beispiel:**
> A wurde am 10.1. zum 31.3. gekündigt. Er beginnt einen Kündigungsschutzprozess. Ein solcher Prozess dauert ca. 6–9 Monate, manchmal auch länger. Ab dem 1.4. ist A arbeitslos. Am 31.7. gewinnt er den Prozess. Damit steht fest, dass das Arbeitsverhältnis nicht beendet worden ist. Nun steht A auch der Lohn für die Zeit vom 1.4. bis zum 31.7. zu und zwar unabhängig davon, dass er ab dem 1.4. gar nicht mehr gearbeitet hat. Das ALG I, das er als Lohnersatz bekommen hat, muss aber zurückgezahlt werden.

Drei Instanzen

Die Kündigungsschutzklage kann durch drei Instanzen geführt werden. D.h., dass bis zu drei unabhängige Gerichte den Fall prüfen und jeweils ein eigenes Urteil fällen können. Wobei es in der Regel nur zwei Instanzen (Arbeitsgericht und Landesarbeitsgericht) sind und das höchste Gericht (das Bundesarbeitsgericht in Erfurt) nur in speziellen Ausnahmefällen als 3. Instanz entscheidet.

48 BVerfG 27.1.1998 – 1 BvL 15/87.
49 BAG 12.2.2025 – 5 AZR 127/24.

aa. Kündigungsfrist: 3 Wochen

§ 4 KSchG

Nach einer Kündigung sollen die Beteiligten schnell wissen, wie es weitergeht. Deshalb sieht § 4 KSchG eine sehr wichtige Frist vor: gegen Kündigungen kann nur **innerhalb von drei Wochen** nach Zugang bei dem Beschäftigten geklagt werden. Wird keine Kündigungsschutzklage erhoben, gilt nach Ablauf dieser drei Wochen die Kündigung als von Anfang an wirksam.

Beispiel:
Ein Arbeitgeber kündigt mit dem Grund, der Arbeitnehmer habe gestohlen. In Wahrheit hat der Beschäftigte aber rein gar nichts mitgehen lassen. Ein Kündigungsgrund liegt also gar nicht vor. Die Kündigung hat A am 28.2. erhalten. Klagt er nicht innerhalb von drei Wochen (bis zum 21.3.), beendet die Kündigung das Arbeitsverhältnis **trotzdem**. Es spielt dann keine Rolle mehr, dass der Arbeitnehmer zu Unrecht beschuldigt worden ist. Der Fehler in der Begründung wird durch das Ausbleiben einer Klage »geheilt«.

Nach Ablauf der Dreiwochenfrist kann die Kündigung nur noch als unwirksam angegriffen werden, wenn die Kündigung den Beschäftigten entweder nie erreicht hat oder die Schriftform nach § 623 BGB nicht eingehalten wurde.

Die Dreiwochenfrist gilt für alle Kündigungen

Die Dreiwochenfrist ist sowohl bei ordentlichen als auch außerordentlichen Kündigungen egal aus welchem Grunde vorgeschrieben. Selbst bei Kündigungen eines Berufsausbildungsverhältnisses gilt die Frist, wenn kein Schlichtungsausschuss gemäß § 111 Abs. 2 ArbGG besteht, der zur Streitbeilegung zwingend anzurufen ist.

Hinweis:
Die drei Wochen werden ab Zugang der Kündigung gerechnet. Zugang meint nicht immer den Zeitpunkt, zu dem der Beschäftigte von der Kündigung tatsächlich erfährt (vgl. Seite 58 f.).

Achtung: Jede Kündigung zählt!

Jede Kündigung ist für sich gesondert eine Kündigung. Folgt nach einer ersten Kündigung eine weitere Kündigung, stellt dies keine Wiederholung der ersten Kündigung dar, sondern ist eine neue, eigenständige Kündigung. Jede Kündigung kann das Arbeitsverhältnis beenden. Gegen jede Kündigung muss innerhalb von drei Wochen geklagt werden.

Beispiel:
Manchmal schicken Arbeitgeber weitere Kündigungen hinterher, wenn der Beschäftigte einen Kündigungsschutzprozess führt. Sie hoffen darauf, dass der Beschäftigte gegen die Folgekündigungen nicht extra zu Gericht geht. Selbst wenn der Arbeitgeber in jeder weiteren Kündigung den gleichen Grund angibt, so muss dennoch gegen jede Kündigung geklagt werden.

bb. Kosten der Klage

Unabhängig davon, wie viel Geld der einzelne Beschäftigte hat, soll ihm der Gang zum Gericht offenstehen. Deshalb können einkommensschwache Beschäftigte beantragen, dass Anwältinnen und Anwälte sowie die Gerichte durch den Staat bezahlt werden (Prozesskostenhilfe).
Zudem haben Gewerkschaftsmitglieder den großen Vorteil, dass in der Regel die Gewerkschaft die Gerichtskosten übernimmt und ihren Mitgliedern ihre eigenen Anwältinnen und Anwälte – sogenannte Rechtsschutzsekretärinnen und Rechtschutzsekretäre – kostenlos zur Verfügung stellt.

c. Gemeinsame Grundlagen des KSchG

§ 1 KSchG

Das Kündigungsschutzgesetz stellt Bedingungen auf, die eine Kündigung erfüllen muss. Tut sie das nicht, ist sie unwirksam. Unwirksam meint, dass die Kündigung ohne Auswirkungen auf das Arbeitsverhältnis bleibt. Wirksam ist eine Kündigung nur, wenn ein **Grund vorliegt**, der in § 1 Abs. 2 KSchG genannt wird und sie unter Abwägung der beiderseitigen Interessen verhältnismäßig ist. Was das heißt, soll auf den kommenden Seiten erklärt werden.

Fallgruppen

§ 1 Abs. 2 KSchG nennt drei verschiedene Gruppen von Kündigungsgründen:

- personenbedingte Kündigungen
- verhaltensbedingte Kündigungen
- betriebsbedingte Kündigungen

Liegen diese Gründe nicht vor oder werden andere Gründe für die Kündigung angegeben, ist die Kündigung unwirksam.

Grundsatz der Verhältnismäßigkeit

Jede Kündigung muss verhältnismäßig sein. Verhältnismäßig heißt, dass eine Kündigung erforderlich sein muss. Ein **milderes Mittel**, wie das Arbeitsverhältnis doch noch fortgesetzt werden könnte, darf nicht zur Verfügung steht. Ein milderes Mittel wie eine Abmahnung oder Versetzung ist eine Maßnahme, die ermöglicht, das Arbeitsverhältnis doch fortzusetzen und die bisherigen Störungen abzustellen. Die Kündigung darf nur das letzte Mittel sein, wenn alle anderen Alternativen nicht ausgereicht haben oder aussichtslos erscheinen.

> **Beispiel:**
> Führt ein Unternehmen eine neue Software ein, kann es nicht einfach alle Beschäftigten kündigen, die die Software nicht beherrschen. Es muss den Beschäftigten ermöglichen, in Weiterbildungen zu lernen, wie die neue Software funktioniert. Die Weiterbildung macht dann die Kündigung überflüssig. Übrigens hat der Betriebsrat ein Mitbestimmungsrecht bei Fortbildungen, § 97 Abs. 2 BetrVG. Die Bildungsmaßnahmen können erzwungen werden.

Beispiele für mildere Mittel

Weitere mildere Mittel sind beispielsweise
- Mitarbeitergespräche;
- Abmahnungen (siehe unten, Seite 96ff.);
- die Inanspruchnahme von Leistungen der Arbeitsförderung wie zum Beispiel Kurzarbeit bei Produktionsengpässen oder im Falle einer Pandemie;
- die Versetzung auf einen anderen Arbeitsplatz (eventuell auch zu schlechteren Arbeitsbedingungen), um z.B. weitere Krankheitszeiten zu vermeiden, oder
- Änderungskündigungen.

> **Beispiel:**
> Beschließt ein Unternehmen, seine Lohnbuchhaltung ab sofort durch einen externen Anbieter machen zu lassen, kann er seinen bisher in der Lohnbuchhaltung arbeitenden Vollzeit-Sekretär nicht einfach kündigen. Er muss schauen, ob nicht in einer anderen Abteilung ein Vollzeit-Sekretär gebraucht wird (Versetzung) oder eine Beschäftigung als Teilzeit-Sekretär möglich ist (Änderungskündigung).

Interessenabwägung

Bei jeder Kündigung müssen die Interessen des Beschäftigten und die Interessen des Arbeitgebers gegeneinander abgewogen werden. Das Hauptinteresse des Beschäftigten ist der Erhalt seines Arbeitsplatzes.
Das Hauptinteresse des Arbeitgebers liegt darin, das Arbeitsverhältnis aufzulösen. Diese beiden Interessen stehen im Widerspruch zueinander. Sie sind nicht miteinander zu vereinbaren. Welche Seite letztlich überwiegt, wird anhand der einzelnen Situation bewertet. Es sind alle Umstände des **Einzelfalls** zu beachten. So sind zum Beispiel Alter, Arbeitsmarktchancen, Unterhaltspflichten gegenüber Kindern und nahen An-

gehörigen, Dauer der Betriebszugehörigkeit, Stellung des Beschäftigten im Betrieb, die Aussicht auf Rente, besondere persönliche Belastungen, die Mitverantwortung des Arbeitgebers für Ausfallzeiten, die Anzahl der Abmahnungen und alle weiteren Aspekte umfasst, die im jeweiligen Fall relevant erscheinen und mit dem Arbeitsverhältnis in Verbindung stehen.

Negative Zukunftsprognose

Dabei ist wichtig zu bedenken: Eine Kündigung ist **keine Sanktion** für die Vergangenheit. Vielmehr geht es um die Bewertung, ob sich in der Zukunft das Arbeitsverhältnis wahrscheinlich ohne unzumutbare Störungen fortsetzen lässt oder nicht. Eine Kündigung ist also immer auch eine Prognose.

Näheres zur Anhörung in Band 5

> **Hinweis:**
> Der Betriebsrat ist vor jeder Kündigung vom Arbeitgeber anzuhören. Er hat das Recht, Bedenken zu äußern und der Kündigung zu widersprechen.

2. Die personenbedingte Kündigung

Checkliste zur personenbedingten Kündigung auf Seite 111 f.

Eine personenbedingte Kündigung ist wirksam, wenn
- ein personenbedingter Kündigungsgrund vorliegt,
- eine negative Zukunftsprognose vorliegt,
- es durch den personenbedingten Grund zu erheblichen betrieblichen Beeinträchtigungen oder wirtschaftlichen Belastungen kommt und
- die Interessenabwägung eine Kündigung stützt.

Im Folgenden werden nacheinander diese Punkte näher erläutert.

a. Personenbedingter Kündigungsgrund

Abgrenzung zum verhaltensbedingten Grund

Die Unterscheidung, ob ein personenbedingter oder ein verhaltensbedingter Kündigungsgrund vorliegt, kann schwierig sein. Als Faustformel dient: Ist das Verhalten durch den Beschäftigten **steuerbar** und kann ihm deshalb als Verstoß gegen den Arbeitsvertrag vorgeworfen werden, liegt ein verhaltensbedingter Kündigungsgrund vor. Liegt der Kündigungsgrund in einer Eigenschaft, Eignung oder in persönlichen Verhältnissen, die der Beschäftigte nicht steuern kann, liegt eine personenbedingte Kündigung vor.

Kurzgefasst: Der Beschäftigte kann, will aber nicht = verhaltensbedingte Kündigung. Der Beschäftigte will, kann aber nicht = personenbedingte Kündigung.

Beispiel:
Kommt ein Beschäftigter wiederholt betrunken zur Arbeit, kann die Kündigung verhaltensbedingt oder personenbedingt begründet sein. Ist der Beschäftigte Alkoholiker, liegt eine Suchterkrankung vor. In diesem Fall kann ggf. nur eine personenbedingte Kündigung ausgesprochen werden. Ist er hingegen nicht süchtig, kann er sein Verhalten frei steuern und vermeiden, betrunken zur Arbeit zu kommen. Dann bemisst sich die Wirksamkeit einer Kündigung am Maßstab der verhaltensbedingten Kündigung.

Diskriminierungsschutz nach AGG

Das Allgemeine Gleichbehandlungsgesetz (AGG) zählt acht Merkmale auf, wegen denen Diskriminierung grundsätzlich verboten ist: Benachteiligungen aus Gründen der Rasse oder wegen der ethnischen Herkunft, des Geschlechts, der Religion oder Weltanschauung, einer Behinderung, des Alters oder der sexuellen Identität. Personenbedingte Kündigungsgründe, die mit diesen Kategorien – offen oder verdeckt – im Zusammenhang stehen, sind daher besonders kritisch zu betrachten. Dabei muss der Bezug nicht direkt bei der Person vorliegen: Beschäftigte dürfen auch nicht benachteiligt werden, weil sie z. B. behinderte Angehörige haben und dadurch weniger zeitflexibel sind. Der Schutz vor behinderungsbezogener Diskriminierung gilt dann auch für den nicht-behinderten Beschäftigten. Die Anforderungen an eine wirksame Kündigung werden umso höher, je stärker der Kündigungsgrund mit diesen Merkmalen oder der Ausübung von Grundrechten der Beschäftigten verbunden sind.

Beispiel:
Ein Getränkehandel beschließt in Zukunft als Fachgeschäft nur noch Biersorten zu verkaufen. Ein Beschäftigter, der aufgrund seiner Religion das Verkaufen von Alkohol als seine Arbeit ablehnt, könnte dann personenbedingt gekündigt werden. Seine Religionszugehörigkeit als Personenmerkmal steht der Beschäftigung entgegen. Da aber niemandem vorgeschrieben werden soll, welchem Glauben er folgt, dürfte der Beschäftigte in einem gemischten Getränkehandel nicht verhaltensbedingt gekündigt werden, wenn er sich weigert in der Bierabteilung zu arbeiten, aber anbietet, stattdessen in der Wasser-Limo-Saft-Abteilung eingesetzt zu werden.

Krankheitsbezogene Kündigungen

Der **häufigste** Fall der personenbedingten Kündigung ist die krankheitsbezogene, personenbedingte Kündigung. Als **Krankheit** zählt auch der Missbrauch von **Alkohol** und **Drogen**, wenn eine Sucht vorliegt.
Ausgangspunkte einer krankheitsbezogenen Kündigung sind

- häufige Kurzerkrankungen,
- lang andauernde Erkrankungen,

- dauerhafte Leistungsunfähigkeit in Folge einer Krankheit oder
- eine erhebliche krankheitsbedingte Minderung der Leistung.

b. Negative Zukunftsprognose

Wiederholung absehbar

Die Negativprognose besagt, dass sich in absehbarer Zeit nichts daran ändern wird, dass der Beschäftigte nicht wie vertraglich vorgesehen arbeiten kann. Nur wenn der Zustand dauerhaft und unabsehbar ist, soll dem Arbeitgeber ausnahmsweise gestattet sein, einen Beschäftigten für etwas zu entlassen, für das er nichts kann.

Die Negativprognose für die Zukunft wird bei häufigen Kurzerkrankungen in der Vergangenheit unterstellt; die Gerichte schauen hier im Regelfall auf die letzten drei Jahre.[50] Im Einzelfall kann der Zeitraum aber auch länger ausfallen. Die negative Zukunftsprognose fehlt jedoch beispielsweise, wenn sich der Beschäftigte nach einer schweren Lebenskrise mit Depressionen in Therapie begeben hat und sich eine dauerhafte Erholung bereits abzeichnet. Oder wenn eine schwere Krankheit vorlag, die auch zu langen Ausfallzeiten geführt hat, aber inzwischen ausgeheilt ist. Hier droht keine Wiederholungsgefahr für weitere Fehlzeiten.

c. Betriebliche Beeinträchtigungen oder wirtschaftliche Belastungen

Störungen im Betriebsablauf

Der Ausfall des Beschäftigten oder seine schlechtere Arbeitsqualität muss zu **betrieblichen Beeinträchtigungen** führen. Hierzu zählen Betriebsablaufstörungen – beispielsweise dadurch, dass Schichtpläne unverhältnismäßig oft und kurzfristig geändert werden müssen, Kollegen Überstunden leisten müssen oder die Produktion in Teilen zum Erliegen kommt.

Entgeltfortzahlung bei Kurzzeiterkrankungen

Es können aber auch **wirtschaftliche Belastungen** entstehen, die das Austauschverhältnis Lohn gegen Arbeit stören, das dem Arbeitsverhältnis zugrunde liegt. Von besonderer Bedeutung bei krankheitsbedingten Kündigungen ist dabei der **6-Wochen-Zeitraum**, in dem der Arbeitgeber im Krankheitsfall das Entgelt fortzahlen muss. Liegen häufige, verschiedene Kurzzeiterkrankungen vor, kann es sein, dass der Arbeitgeber länger als sechs Wochen im Jahr Entgelt wegen Krankheiten fortzahlen muss. Dafür erhält er im Gegenzug keine Arbeitsleistung. Dieses Ungleichgewicht stellt auf Dauer eine besondere wirtschaftliche Belastung dar. Fehlzeiten bis zu 6 Wochen muss der Arbeitgeber in krankheitsbedingten Fällen jedenfalls hinnehmen.

---

50 BAG 25.4.2018 – 2 AZR 6/18.

d. Interessenabwägung

Dem Interesse des Beschäftigten, seinen Arbeitsplatz zu behalten, stehen die betrieblichen Beeinträchtigungen auf Seiten des Arbeitgebers gegenüber. Welcher Seite mehr Gewicht zuzusprechen ist, muss unter Abwägung aller Umstände und Aspekte hinsichtlich des personenbedingten Kündigungsgrundes entschieden werden.

Entscheidung über Folgentragung

Im Rahmen der Interessenabwägung geht es darum zu entscheiden, wer die Folgen der Krankheit tragen sollte.

Deshalb ist **zu Gunsten des Beschäftigten** danach zu fragen, ob die Erkrankung betriebliche Ursachen wie einen Berufsunfall oder eine Berufskrankheit hat, ob der Arbeitgeber bei der Einstellung von chronischen Erkrankungen wusste, wie lange das Arbeitsverhältnis vorher ohne Störungen verlaufen ist oder ob es schlicht altersbedingte Leistungswandlungen sind.

Relevant ist außerdem, ob es im Betrieb auch bei anderen Beschäftigten oft vergleichbar hohe Ausfallquoten gibt, ob die wirtschaftlichen Belastungen dem Arbeitgeber hinsichtlich der Betriebsgröße zumutbar sind und ob es zumutbare Maßnahmen gibt, die die Zeit bis zu einer Besserung überbrücken können (z. B. Anordnung von Überstunden, befristete Einstellung einer Ersatzkraft).

Vermeidung der Kündigung

Zu prüfen ist auch, ob die Kündigung durch die Versetzung auf einen anderen Arbeitsplatz, eine Weiterbildung oder einen Arbeitsplatztausch vermieden werden kann. Denn der Arbeitgeber hat alle Möglichkeiten auszuschöpfen, wenn es einen anderen Arbeitsplatz im Betrieb gibt, der dem veränderten Potenzial des Beschäftigten entspricht. Einen solchen Arbeitsplatz bezeichnet man als **leidensgerechten Arbeitsplatz**.

Betriebliches Eingliederungsmanagement

Auswirkungen auf die Interessenabwägung hat das sogenannte betriebliche Eingliederungsmanagement (BEM).

Begriffserklärung:
Ein BEM wird durchgeführt, wenn ein Beschäftigter innerhalb eines Jahres länger als sechs Wochen arbeitsunfähig erkrankt war. Ziel des BEM ist es, Möglichkeiten zu suchen, die Arbeitsunfähigkeit zu beseitigen und zu überlegen, welche Maßnahmen für die Zukunft vorbeugend helfen. Eine erneute Erkrankung soll präventiv verhindert werden.

Anspruch auf ein solches BEM haben nicht nur Schwerbehinderte und ihnen gleichgestellte, sondern alle Beschäftigten, die in der Summe länger als sechs Wochen erkrankt waren. Das BEM ist für den Beschäftigten freiwillig.

Auswirkungen BEM auf eine Kündigung

Innerhalb eines Kündigungsschutzprozesses hat das BEM eine besondere Bedeutung. Die Durchführung eines BEMs ist zwar **keine Voraussetzung** einer Kündigung. Hierüber gibt es oft Missverständnisse.
Ob ein BEM durchgeführt wurde oder nicht, verschiebt aber den Maßstab, der an die Kündigungsgründe angelegt wird:

- Hat ein BEM stattgefunden und kündigt der Arbeitgeber später, muss er die im BEM empfohlenen Maßnahmen umgesetzt haben, ohne dass sich entscheidende Verbesserungen ergeben haben. Ansonsten wird er vor Gericht kaum beweisen können alle milderen Mittel ausgeschöpft zu haben, bevor er zum letzten Mittel Kündigung greift.[51]
- Wurde kein BEM durchgeführt und kündigt der Arbeitgeber, muss er beweisen, dass alle denkbaren Maßnahmen nutzlos gewesen wären, um den Arbeitsplatz zu erhalten.[52] Er muss also beweisen, dass es keine milderen Mittel als die Kündigung gab.

Hinweis:
Vor der Teilnahme an einem BEM sollten sich Beschäftigte beraten lassen. Oft werden solche Gespräche genutzt, um Krankheitsursachen auszuforschen. Das sind höchstpersönliche Daten und man muss abwägen, ob man diese offenbart. Eine Pflicht dazu besteht nicht. Nicht am BEM teilzunehmen, aus Angst etwas Falsches zu sagen, spielt eher der Arbeitgeberseite in die Hände. Das BEM ist ein zentraler Ort, um eine drohende Kündigung abzuwenden, in dem man Alternativen aufzeigt und Arbeitgeber so zum Handeln zwingt.
Kostenlose Informationen zum BEM gibt es bei den Integrationsämtern, die zudem die Unterstützung durch lokale Integrationsfachdienste vermitteln können.

e. Weitere Beispiele personenbedingter Kündigungsgründe

Im Folgenden werden weitere personenbedingte Kündigungsgründe vorgestellt. Nicht jeder Aspekt in der Person eines Beschäftigten hat den Arbeitgeber aber zu interessieren. Merkmale oder Eigenschaften eines Beschäftigten müssen in **unmittelbaren** Zusammenhang stehen mit der Art und Weise der Arbeit oder dem Arbeitsverhältnis. Denn der Beschäftigte verkauft seine Arbeitskraft und nicht seine Person oder sein Privatleben. Für eine Kündigung müssen zusätzlich zu einem personenbedingten Kündigungsgrund immer die Punkte negative Zukunftsprognose, Be-

51 BAG 10.12.2009 – 2 AZR 400/08.
52 BAG 20.11.2014 – 2 AZR 755/13; LAG Baden-Württemberg 14.1.2025 – 15 Sa 22/24.

triebsablaufstörungen/wirtschaftliche Beeinträchtigungen und die Interessenabwägung vorliegen. Dafür gilt, was oben im Rahmen der krankheitsbedingten Kündigung bereits gesagt wurde.

aa. Eignungsmängel (»Nicht-Können«)

Anforderungsprofil nicht erfüllt

Ist der Beschäftigte in fachlicher oder persönlicher Hinsicht ungeeignet für seine im Vertrag vorgesehene Arbeit, kann eine personenbedingte Kündigung folgen. Das Anforderungsprofil des konkreten Arbeitsplatzes wird verglichen mit dem individuellen Profil des Beschäftigten. Beispiele für Eignungsmängel sind das Fehlen notwendiger Fachkenntnisse, notwendiger Berufsabschlüsse, Lizenzen oder staatlicher Genehmigungen. Aber auch mangelndes Seh- und Hörvermögen oder das gänzliche Fehlen psychischer Belastbarkeit können Eignungsmängel sein.
Als Faustformel hat das Bundesarbeitsgericht entschieden, dass der Arbeitgeber erhebliche wirtschaftliche Belastungen hat, wenn die Leistung des Beschäftigten **weniger als zwei Drittel im Vergleich zur Normalleistung vergleichbarer** Beschäftigter ausmacht.[53]

bb. Alter

Leistungsgerechter Arbeitsplatz

Das Alter an sich ist kein Kündigungsgrund – auch nicht, wenn die Regelaltersgrenze für die Rente erreicht ist (vgl. oben Seite 53 f.). Der Arbeitgeber muss einen altersbedingten Wandel in der Leistungsfähigkeit bis zu einem gewissen Umfang hinnehmen. Der Maßstab ist hierbei die durchschnittliche Leistungsfähigkeit von vergleichbaren Kollegen im gleichen Alter. Der Wandel der Leistungsfähigkeit kann eventuell durch Versetzung auf einen leistungsgerechten Arbeitsplatz ausgeglichen werden. Der Arbeitgeber muss also prüfen, ob statt der Kündigung eine Umstrukturierung der betrieblichen Arbeitsabläufe helfen kann.[54] Dem Beschäftigten sind als milderes Mittel im Vergleich zur Kündigung Fortbildungen anzubieten, wenn sein Arbeitsplatz neues Fachwissen erfordert.

cc. Straftaten, Haft

Relevanz für Arbeitsplatz

Begeht der Beschäftigte Straftaten außerhalb des Arbeitsverhältnisses, können diese nur eingeschränkt einen personenbedingten Kündigungsgrund darstellen. Sie müssen einen **inhaltlichen Bezug** zu seinen Aufgaben oder Verantwortungsbereichen aufweisen.[55] So können beispiels-

53 BAG 17.1.2008 – 2 AZR 536/06.
54 LAG Mecklenburg-Vorpommern 13.6.2023 – 2 Sa 109/22.
55 Selbst die Kündigung eines Arbeitnehmers, der laut Sicherheitsbehörden mutmaßlich mit Personen im Kontakt stand, die Anschläge planten, hat das LAG

weise Körperverletzungs- oder Sexualdelikte einen personenbedingten Kündigungsgrund für Lehrer und andere Pädagogen darstellen.
Hat ein Beschäftigter eine Gefängnisstrafe zu verbüßen, ist das für sich genommen kein Kündigungsgrund. Fällt er jedoch durch die Strafe für einen längeren Zeitraum aus, kann das eine personenbedingte Kündigung rechtfertigen. Für die Länge der Ausfallzeiten gelten die im Rahmen der krankheitsbedingten Kündigung gemachten Ausführungen, Seite 80ff.

dd. Gewerkschaftsaktivität

Koalitionsfreiheit

An die Mitgliedschaft oder Betätigung in einer Gewerkschaft darf der Arbeitgeber laut § 612a BGB keine Sanktionen knüpfen. Erst recht darf er deswegen nicht kündigen.

ee. Mitgliedschaften

Religion und Weltanschauung

Solange der Beschäftigte nicht anfängt, im Betrieb zu missionieren und dadurch den Betriebsfrieden zu stören, kann er nicht aufgrund einer religiösen oder weltanschaulichen Überzeugung oder einer darauf fußenden Mitgliedschaft gekündigt werden. Der Beschäftigte muss seine Religionszugehörigkeit oder weltanschauliche Überzeugung nicht verstecken. Ihm steht ein Recht auf **freie Meinungsäußerung** zu, solange der Betriebsablauf oder der Betriebsfrieden dadurch nicht gestört werden. Dies kann aber dann der Fall sein, wenn er Kollegen herabwürdigt oder diskriminiert. Hier endet die Meinungsfreiheit.

ff. Kirchenaustritt

Tendenzbetriebe

Ausnahmen gelten hier für manche Tendenzbetriebe (vgl. Seite 89f.). Wer in solchen Unternehmen beschäftigt ist, unterliegt auch im Privatleben bestimmten Regeln. So ist es z. B. mit den Satzungen der DGB-Gewerkschaften unvereinbar, Mitglied einer dem Faschismus nahestehenden Partei zu sein. Wer einer solchen Partei angehört, kann deshalb als Gewerkschaftsangestellter gekündigt werden. Ein weiteres Beispiel: Kirchen können fordern, dass ihre Beschäftigten, die im sogenannten **verkündigungsnahen** Bereich arbeiten – also auch beruflich tatsächlich mit der christlichen Lehre zu tun haben –, Mitglied ihrer Religionsgemeinschaft sind. Treten sie aus der Kirche aus oder verhalten sie sich entgegen der Glaubenslehre (z. B. Ehescheidung), kann das laut den Gerichten ein per-

---

Niedersachsen gekippt, da dies allein den außerdienstlichen Bereich betreffe und keine Verletzung arbeitsvertraglicher Pflichten darstelle – LAG Niedersachsen 12. 3. 2018 – 15 Sa 319/17.

sonenbedingter Kündigungsgrund sein. Von europäischen Gerichten gibt es hierzu aber immer kritischere Töne.[56]

gg. Sexuelle Orientierung, Geschlecht

Keine Diskriminierung

Lesben und Schwule, aber auch Menschen weiterer sexueller Orientierungen können nicht deswegen gekündigt werden. Ebenso wenig können Menschen dafür sanktioniert werden, dass sie in einer anderen Geschlechtsidentität als bisher leben (transgeschlechtliche Personen) oder dass sie körperlich weder männlich noch weiblich sind (intergeschlechtliche Personen).

hh. Übernahme eines Ehrenamts

Kein personenbedingter Kündigungsgrund ist die Übernahme eines Ehrenamtes, auch wenn es dadurch im Vergleich zum bisherigen Verlauf zu Störungen im Arbeitsverhältnis kommt, beispielsweise bei der Flexibilität in der Schichtverteilung.

3. Die verhaltensbedingte Kündigung

Checkliste zur verhaltensbedingten Kündigung auf Seite 113

Eine verhaltensbedingte Kündigung ist wirksam, wenn
- ein verhaltensbedingter Kündigungsgrund vorliegt,
  - weil der Beschäftigte eine arbeitsvertragliche Pflicht durch sein Verhalten verletzt hat,
  - und ihm dieses Fehlverhalten vorgeworfen werden kann, und
- die Interessenabwägung eine Kündigung stützt.

Ordentliche/außerordentliche Kündigung

Verhaltensbedingte Kündigungen werden nicht selten fristlos ausgesprochen. Der Unterschied zwischen einer ordentlichen, fristgemäßen und einer außerordentlichen, fristlosen Kündigung wurde bereits oben ab Seite 60 f. ausführlich dargestellt.

> **Hinweis:**
> Durch Tarifverträge kann der Arbeitgeber darauf beschränkt werden, nur außerordentlich aus wichtigem Grund kündigen zu dürfen. Dann ist der Weg der ordentlichen Kündigung nicht möglich.

---

56 EuGH 17.4.2018 – C-414/16; BVerfG 29.9.2025 – 2 BvR 934/19.

a. Verhaltensbedingte Kündigungsgründe

aa. Pflichtverstoß

Verstoß gegen den Arbeitsvertrag

Ein Verhalten kann nur dann ein Kündigungsgrund sein, wenn es gegen die Pflichten aus dem Arbeitsvertrag verstößt. Die Hauptpflicht aus dem Arbeitsvertrag ist das Erbringen der Arbeitsleistung: das Arbeiten. Daneben gibt es weitere Pflichten. Beispielsweise die Pflicht, auf die Interessen des Arbeitgebers **Rücksicht** zu nehmen, den Betriebsfrieden nicht zu stören, Kollegen nicht zu belästigen, den Arbeitgeber nicht zu schädigen und dergleichen mehr.

Außerdienstliches Verhalten

Verhalten außerhalb des Dienstes kann nur dann einen verhaltensbedingten Kündigungsgrund darstellen, wenn es zum Arbeitsverhältnis eine konkrete Verbindung hat.

Verstoß ist nicht gerechtfertigt

In manchen Fällen verstößt der Beschäftigte zwar nach äußerer Betrachtung gegen seine Pflichten, der Verstoß ist aber **gerechtfertigt**. Der Beschäftigte verstößt hier zu Recht gegen den Arbeitsvertrag. Dies ist beispielsweise der Fall, wenn er während eines Streiks nicht arbeitet. Oder ein Hinweisgeberportal nutzt, um Straftaten des Arbeitgebers zu melden. Oder wenn er gegenüber dem Arbeitgeber das Recht hat, in der konkreten Situation die Arbeit zu verweigern, zum Beispiel weil die Arbeitsanweisung gesundheitsgefährdend oder illegal ist.

Ein Leistungsverweigerungsrecht liegt zum Beispiel auch vor, wenn sich der Beschäftigte in einer **Zwangslage** befindet. Wird das minderjährige Kind eines Beschäftigten schwer verletzt und ins Krankenhaus gebracht, kann er zu Recht die Arbeit – in geordneter Art und Weise – niederlegen und sich um sein Kind kümmern. Ein anderes Beispiel für eine solche Zwangslage ist ein Gewissens-/Glaubenskonflikt.

Vorsatz oder Fahrlässigkeit

Der Pflichtverstoß muss dem Beschäftigten **vorzuwerfen** sein. Er muss vorsätzlich oder leicht bis grob fahrlässig gehandelt haben – er muss an dem Verhalten »schuld« sein.

> **Begriffserklärung:**
> Fahrlässigkeit meint das Nichtbeachten von Verhaltens- und Vorsichtsmaßnahmen, die jedem von selbst einleuchten müssten oder die in betriebsinternen Regelungen vorgesehen bzw. in Unterweisungen erklärt worden sind und daher leicht hätten befolgt werden können.

Der **Grad des Verschuldens** hat Auswirkungen auf die Frage, ob die Kündigung verhältnismäßig ist. Sie ist auch in der Interessenabwägung zu berücksichtigen.

Beispiel:
So ist das Zerstören eines Betriebsmittels – zum Beispiel eines Kopierers – ein Verhalten, das eine Kündigung rechtfertigen kann. Wenn der Beschäftigte in Wut mit voller Absicht den Kopierer zertrümmert, ist ihm Vorsatz vorzuwerfen. Ist ihm lediglich aus Versehen ein Kaffee in den Kopierer gelaufen, ist das ein Fall von (leichter) Fahrlässigkeit. Eine Kündigung ist in der Regel nicht gerechtfertigt, wenn dem Beschäftigten sein Verhalten nur als fahrlässig vorzuwerfen ist. In einem solchen Fall wäre eine Abmahnung mit der Aufforderung, in Zukunft keine Heißgetränke mehr mit in den Kopierraum zu nehmen, ausreichend, um auf den Pflichtverstoß (Schädigung von Eigentum des Arbeitgebers) zu reagieren.

Tendenzbetriebe, kirchliche Träger

Für sogenannte Tendenzbetriebe und kirchliche Träger gelten teilweise andere Maßstäbe. Sie können zum einen innerdienstliches Verhalten nach **strengeren Maßstäben** bewerten, aber auch Vorgaben für das private Verhalten in gewissen Grenzen vorgeben.

Begriffserklärung:
Bei Tendenzbetrieben handelt es sich um Unternehmen, deren Unternehmenszweck unmittelbar und überwiegend auf politische, karitative, wissenschaftliche, künstlerische, erzieherische oder konfessionelle Ziele gerichtet ist.

Das sind z. B. ein evangelisches Kinderheim, eine Seelsorgeeinrichtung der Caritas, eine politische Partei oder die Gewerkschaften. Auch Zeitungsredaktionen oder Rundfunkanstalten gelten als Tendenzbetriebe, weil ihr Zweck die Berichterstattung und die Meinungsäußerung ist. Deshalb kann beispielsweise ein katholischer Kindergarten von den Beschäftigten verlangen, im Dienst Gottesdienste zu besuchen und privat nicht als Sprecherin einer anderen Glaubensgemeinschaft aufzutreten.

bb. Arbeitsverweigerung, schlechte Leistung (»Nicht-Wollen«)

Einzelne Fallgruppen

Verweigerung ohne sachlichen Grund

Die Arbeitsleistung ist der zentrale Bestandteil der Arbeitnehmerpflichten. Verweigert sich der Beschäftigte wiederholt, die ihm zugewiesene Arbeit zu erledigen, ohne hierfür einen soliden Grund zu haben, kann verhaltensbedingt gekündigt werden. Das gilt auch für den Fall, dass der Beschäftigte seine Arbeit vorsätzlich oder fahrlässig schlecht macht. Eine »**Schlechtleistung**« bemisst sich danach, ob der Beschäftigte seine individuellen Möglichkeiten und Fähigkeiten voll einbringt oder nicht. Es geht also darum, ob er alles getan hat, was er tun konnte. Etwas anderes gilt nur, wenn im Arbeitsvertrag konkrete Arbeitsergebnisse festgelegt

sind. In der Regel verspricht der Beschäftigte im Arbeitsvertrag aber nur, für einen gewissen Zeitraum seine Arbeitskraft einzubringen. Durch die Schlechtleistung muss das Austauschverhältnis Arbeit gegen Lohn so aus dem Gleichgewicht gebracht werden, dass es dem Arbeitgeber nicht länger zuzumuten ist, die schlechte Arbeitsleistung gegen das versprochene Gehalt zu tauschen.
Ist die Schlechtleistung nicht auf ein steuerbares Verhalten zurückzuführen, kann auch eine personenbedingte Kündigung vorliegen.

cc. Zuspätkommen, Pausen überziehen

Die Arbeitsleistung erbringt nicht korrekt, wer zum Dienstbeginn zu spät kommt oder Pausen überzieht. Da es sich im Einzelfall um kleinere Verstöße handelt, müssen hier Abmahnungen ausgesprochen werden, bevor nach wiederholtem Zuspätkommen eine Kündigung in Betracht kommt.

dd. Selbstbeurlaubung

Urlaub muss beantragt und bewilligt werden. Der Beschäftigte darf nicht eigenmächtig Freizeitausgleich oder Urlaub nehmen. Er kann nicht ohne die Zustimmung des Arbeitgebers in Urlaub gehen – auch wenn er den Urlaub zuvor ordnungsgemäß beantragt hatte. Im Zweifelsfall muss er eine sogenannte **einstweilige Verfügung** vor den Arbeitsgerichten durchsetzen, die ihm den Urlaub zuspricht.
Die Selbstbeurlaubung stellt ein derart schweres Fehlverhalten dar, dass sogar eine fristlose Kündigung gerechtfertigt sein kann.

ee. Vortäuschen von Krankheit

Täuscht ein Beschäftigter vor, krank zu sein und lässt sich für die Krankheitstage weiter Gehalt zahlen, ohne hierfür zu arbeiten, obwohl er es gesundheitlich könnte, liegt ein verhaltensbedingter Kündigungsgrund vor. Durch das Vortäuschen der Krankheit wird das Austauschverhältnis Arbeit gegen Lohn gestört. Außerdem wird das Vertrauen des Arbeitgebers in den Beschäftigten stark belastet. Es steht die Straftat des Betrugs im Raum. Hier ist eine außerordentliche Kündigung möglich.[57]

ff. Ankündigung einer Arbeitsunfähigkeit

Kündigt ein Beschäftigter an, sich »krank zu melden«, wenn er dies oder jenes nicht bekommt, kann meist verhaltensbedingt gekündigt werden – oftmals sogar fristlos.[58] Solche Ankündigungen als Druckmittel des Be-

---

57 LAG Köln 10.12.2020 – 8 Sa 491/20.
58 BAG 10.6.2010 – 2 AZR 541/09.

schäftigten zu nutzen, ist ein Trugschluss. Sie können sich schnell gegen sie wenden.

gg. Arbeitsunfähigkeitsbescheinigung

Verstoß gegen Anzeige- und Nachweispflicht

Gemäß § 5 Abs. 1 Entgeltfortzahlungsgesetz muss ein Beschäftigter im Krankheitsfall anzeigen und nachweisen, dass er krank ist und daher nicht arbeiten kann. Wie und wem das mitzuteilen und nachzuweisen ist, richtet sich nach den Gepflogenheiten im Betrieb. Laut Gesetz muss der Beschäftigte jedoch eine Arbeitsunfähigkeitsbescheinigung (= ärztliches Attest) besorgen, wenn die Krankheit länger als drei Tage dauert. Der Arbeitgeber kann diese Bescheinigung auch schon früher verlangen. Insbesondere wenn in der Vergangenheit Krankheiten nicht korrekt angezeigt wurden, kann der Arbeitgeber schon ab dem **ersten** Tag einer Erkrankung eine ärztliche Bescheinigung fordern.
Vor einer Kündigung wegen Verstoß gegen die Anzeige- und Nachweispflichten bei Krankheit muss mindestens einmal deswegen abgemahnt worden sein.

hh. Straftaten gegen den Arbeitgeber

Zerstörtes Vertrauensverhältnis

Grundlage des Arbeitsverhältnisses ist ein gegenseitiges Vertrauensverhältnis. Begeht der Beschäftigte gegen den Arbeitgeber eine Straftat, wird dieses Vertrauen belastet. In der Regel wird angenommen, dass das Vertrauen nach einer Straftat nicht wiederhergestellt werden kann. Das strafbare Verhalten kann dann als Kündigungsgrund dienen. Als Kündigungsgrund reicht laut den Gerichten schon das Stehlen **geringwertiger** Gegenstände – wie Pfand-Coupons[59] oder sechs, bei der Verpflegung von Altenheimbewohnern übrig gebliebenen Maultaschen.[60] Die Belastung des Arbeitsverhältnisses durch einen Diebstahl bemisst sich nicht an dem Wert des gestohlenen Gegenstandes. Rechtlich relevant ist das Vertrauen des Arbeitgebers in den Beschäftigten, dass dieser nicht – bei nächster Gelegenheit wieder – eine Straftat begeht.
Das **gegenseitige Vertrauen** ist der zentrale Punkt in der Interessenabwägung. Es ist zu fragen, wie lange das Arbeitsverhältnis zum Beispiel ohne Störung verlaufen ist und der Arbeitgeber über diesen langen Zeitraum ein vertieftes Vertrauen in den Beschäftigten aufbauen konnte. Diesem aufgebauten Vertrauen ist das Fehlverhalten gegenüberzustellen. Zu beachten ist, unter welchen Rahmenbedingungen, aus welchen Motiven und mit welchem Schaden für den Arbeitgeber die Tat begangen wurde, wie

59 BAG 10.6.2010 – 2 AZR 541/09.
60 ArbG Lörrach 16.10.2009 – 4 Ca 248/09.

sich der Beschäftigte im Anschluss verhalten hat (Abstreiten, Beschuldigen anderer, Geständnis und Einsicht) und ob mit der Begehung weiterer Taten zu rechnen ist. Die Kündigung muss wie bei jeder Kündigung im Verhältnis zum Anlass stehen. Auch bei Vermögens- und Eigentumsdelikten zulasten des Arbeitgebers kann eine Abmahnung als milderes Mittel in Betracht kommen.[61] Konnte der Beschäftigte beispielsweise davon ausgehen, dass das Essen von sechs Maultaschen, die übrig geblieben sind, in einer Situation, in der die Pflegekraft bereits Überstunden leistete, als nicht so schlimm angesehen werden würde, kann eine Abmahnung eine wirkungsvolle Reaktion auf das Stehlen der Maultaschen sein. Dann ist eine Kündigung nicht verhältnismäßig und damit nicht wirksam. Gerade bei sehr kleinen Delikten ist danach zu fragen, ob der Beschäftigte im Wissen darum, dass er sich falsch verhält, auch erwarten konnte, dass ihm deshalb gekündigt werden würde.

ii. Fehlverhalten im Vertrauensbereich

Bereicherung, Compliance, Arbeitszeitbetrug

Im Vertrauensbereich gibt es noch weitere Fälle, die eine Kündigung rechtfertigen können. Dazu zählen beispielsweise das Annehmen von **Schmiergeldern oder Geschenken von Geschäftspartnern,** die dem Beschäftigten zur persönlichen Bereicherung dienen. Auch der Verstoß gegen betriebsinterne Verhaltensvorschriften/Compliance-Richtlinien kann das notwendige Vertrauen des Arbeitgebers zerstören, durch den Beschäftigten nicht geschädigt zu werden.
Ebenso gehört das Verfälschen der **Arbeitszeiterfassung** in den Vertrauensbereich und stellt als Betrug ein schweres Fehlverhalten dar.

> **Beispiel:**
> Wer vorsätzlich Formulare zur Erfassung der Überstunden falsch ausfüllt, kann außerordentlich gekündigt werden.[62]

jj. Privates Nutzen von Internet, E-Mail und Co.

Das private Nutzen betrieblicher Kommunikationsmittel wie Internet oder E-Maildienste ist nur dann als Kündigungsgrund geeignet, wenn es **explizit verboten** ist. Hat der Arbeitgeber bisher die Privatnutzung toleriert, ohne anderslautende Handlungsanweisungen zu geben, ist in jedem Fall ein Hinweis oder eine Abmahnung erforderlich.
Ohne Abmahnung gekündigt werden kann jedoch, wer schwere Verfehlungen begeht – wie das Nutzen von Sex-Hotlines oder das Abrufen

61 BAG 12.5.2010 – 2 AZR 845/08.
62 BAG 13.12.2018 – 2 AZR 370/18.

pornographischer Seiten. In diesem Fall muss der Beschäftigte auch ohne Abmahnung davon ausgehen, dass der Arbeitgeber dieses Verhalten unter keinen Umständen und erst recht nicht auf seine Kosten tolerieren wird. Neben dem privaten Nutzen von Internet und Co. am Arbeitsplatz liegt ein weiterer verhaltensbedingter Kündigungsgrund darin, während der Arbeitszeit privaten Angelegenheiten nachzugehen, statt zu arbeiten.

kk. Anzeigen gegen den Arbeitgeber, Whistleblowing

Gibt der Beschäftigte Informationen an Polizei, Staatsanwaltschaft oder Steuerbehörden weiter, kann eine Kündigung allein darauf nicht gestützt werden.

> **Beispiel:**
> Der Fall der Altenpflegerin Brigitte Heinisch ging durch die Presse und war ein früher Vorläufer auf dem Weg zum Hinweisgeberschutz von heute. Sie hatte ihren Arbeitgeber angezeigt, weil der Pflegenotstand in dem Altenheim so gravierend geworden war, dass sie um die Gesundheit der Bewohner fürchten musste. Sie erhielt daraufhin die Kündigung. Der Europäische Gerichtshof für Menschenrechte (EGMR) hat ihr schließlich bestätigt, dass ihre Anzeige gerechtfertigt war, und die Kündigung nicht hätte ausgesprochen werden dürfen.[63]

Das **Hinweisgeberschutzgesetz** verbietet heute Sanktionen gegen solches Whistleblowing eindeutig. Beschäftigte haben dabei ein Wahlrecht, ob sie interne Meldestellen nutzen oder sich direkt an externe, staatliche Meldestellen wenden.
Beschäftigte müssen von der Wahrheit der Information überzeugt sein. Es dürfen weder vorsätzlich noch fahrlässig **Falschanzeigen** gemacht werden. Sagt ein Beschäftigter als Zeuge gegen den Arbeitgeber aus, kann er auch deswegen nicht gekündigt werden.
Große Zurückhaltung ist mit einer Veröffentlichung im Internet oder der Presse zu üben. Durch die Weitergabe wird das Vertrauensverhältnis zwischen Arbeitgeber und Beschäftigtem gestört. Der Beschäftigte kann unter Umständen seine Pflicht verletzen, **loyal** zum Unternehmen zu sein. Pauschale Aussagen sind hierzu kaum möglich. Es kommt besonders stark auf den Einzelfall an.

63 EGMR 21.7.2011 – 28275/08.

ll. Suche nach einem neuen Arbeitsplatz

Sucht der Beschäftigte nach einer neuen Anstellung und plant, den Betrieb zu verlassen, liegt darin für den Arbeitgeber kein Kündigungsgrund. Übrigens hat der Beschäftigte in einem gekündigten Arbeitsverhältnis einen Anspruch darauf, Freizeit zur Stellensuche auch während der Arbeitszeit zu bekommen, § 629 BGB.

mm. Alkohol, Drogen

Verhaltensbedingter Grund bei steuerbarem Konsum

Kommt ein Beschäftigter alkoholisiert oder unter anderem Drogeneinfluss zur Arbeit oder konsumiert er im Betrieb, kann er hierdurch gegen Verhaltenspflichten verstoßen. Das ist beispielsweise dann der Fall, wenn er andere Kollegen oder Kunden/Patienten gefährdet oder gegen ein allgemeines Alkohol-/Drogenverbot im Betrieb verstößt.

Der Beschäftigte ist nicht verpflichtet, auf Verlangen des Arbeitgebers einen Alkohol-/Drogentest zu machen.

Personenbedingter Grund bei Erkrankung

Liegt eine Suchterkrankung vor, richtet sich die Bewertung der Kündigung nach den Vorgaben einer personenbedingten Kündigung, weil davon ausgegangen wird, dass ein süchtiger Mensch sein Konsumverhalten nicht mehr mit seinem freien Willen steuern kann.

nn. Verstöße gegen Verhaltensregeln

Gibt es im Betrieb konkrete Vorschriften, wie man sich zu verhalten hat, beispielsweise Rauchregelungen oder Sicherheitsregeln, kann ein Verstoß dagegen ein Kündigungsgrund sein – allermeistens aber erst nach erfolglosen Abmahnungen.

oo. Beleidigungen

Berücksichtigen des betriebsüblichen Tons

Beleidigungen verletzen nicht nur die Betroffenen. Sie können auch den Betriebsfrieden stören. Ein Arbeitgeber muss schwere Beleidigungen nicht hinnehmen. Jedoch sind die Umstände der Beleidigung und der übliche Ton im Betrieb zu berücksichtigen. Provoziert der Arbeitgeber die Beleidigung, kann er sie nicht als verhaltensbedingten Kündigungsgrund nutzen. Als Kündigungsgründe ausgenommen sind Äußerungen, die von der **Meinungs- oder Kunstfreiheit** gedeckt sind, wobei hier die Persönlichkeitsrechte anderer die Grenze der Meinungs- und Kunstfreiheit bilden. Ebenso wenig kann sanktioniert werden, wenn ein Beschäftigter den Arbeitgeber lediglich kritisiert – auch wenn die sachliche Kritik unfreundlich oder zugespitzt geäußert wird.

pp. Rassistische Äußerungen, Diskriminierung

Kein Schutz durch »Meinungsfreiheit«

Bringt ein Beschäftigter durch Worte, Gesten oder Taten seine Verachtung gegenüber einzelnen Kollegen oder gegenüber bestimmten Menschengruppen zum Ausdruck, auch in sozialen Netzwerken wie einer WhatsApp-Gruppe mit Kollegen,[64] kann der Arbeitgeber unter Umständen eine Kündigung aussprechen. Der Arbeitgeber ist insbesondere durch § 12 Abs. 3 AGG verpflichtet, sich schützend vor Beschäftigte zu stellen, die Zielscheibe solcher Angriffe sind. Außerdem kann der Betriebsfrieden gestört werden. Aber auch wenn es nicht gegen andere Betriebsangehörige geht, sind rassistische und diskriminierende Äußerungen nicht hinzunehmen. Das Verbreiten von Hass und Vorurteilen findet keinen Schutz durch die Meinungsfreiheit.

qq. Sexuelle Belästigung

Sexuelle Belästigung von Kolleginnen und Kollegen, Vorgesetzten oder Kunden taugt als Kündigungsgrund. Was unter einer sexuellen Belästigung zu verstehen ist, regelt § **3 Abs. 4 AGG**. Demnach können neben Körperkontakt auch »Witze« und Sprüche, eindeutige Gesten, Nachrichten per Handy oder PC und das Zeigen pornographischer Fotos oder Filme, Fragen zum Intimleben oder das Aufdrängen solcher Informationen über einen selbst sexuell bestimmte Handlungen sein. Von der anderen Person unerwünschte körperliche, intime Berührungen reichen ohne Zweifel aus, eine Kündigung zu rechtfertigen. Der Belästiger braucht dabei keine sexuelle Motivation zu haben. Es reicht, wenn sein Verhalten einen sexuellen Bezug hat und der bzw. die Andere das nicht will. Beispielsweise kann ein Kollege lauthals darüber herziehen, dass ein anderer Kollege es »im Bett nicht bringt« und ganz sicher »keinen hoch bekommt«, um ihn bloßzustellen. Auch das ist eine sexuelle Belästigung. Bei Übergriffen kann eine fristlose Kündigung ohne vorherige Abmahnung gerechtfertigt sein.[65] Oftmals wird vor einer Kündigung wegen sexueller Belästigung abgemahnt werden müssen.[66] Fortbildungen und Verhaltensleitlinien können die Notwendigkeit einer Abmahnung entfallen lassen. Der besondere Maßstab, ob eine Abmahnung noch sein muss oder eine Kündigung erfolgen kann, ist die Frage, ob die Wiederholung einer Belästigung schon durch die Abmahnung »ausgeschlossen«[67] werden kann.

64 BAG 24.8.2023 – 2 AZR 17/23.
65 BAG 29.6.2017 – 2 AZR 302/16; BAG 20.5.2021 – 2 AZR 596/20.
66 BAG 20.11.2014 – 2 AZR 651/13; LAG Niedersachsen 29.4.2025 – 11 SLa 472/24.
67 Zum besonderen Maßstab bei Diskriminierungen und Belästigungen: Hessisches Landesarbeitsgericht 16.7.2019 – 15 Sa 1495/18.

b. Interessenabwägung, insbesondere Verhältnismäßigkeit

Damit eine Kündigung wirksam ist, muss die Interessenabwägung ergeben, dass dem Arbeitgeber die Weiterbeschäftigung aufgrund des Fehlverhaltens nicht zumutbar ist. Auf Arbeitnehmerseite dürfen die entgegenstehenden Gründe nicht überwiegen. Nur dann ist die Kündigung verhältnismäßig.

aa. Vorherige Abmahnung

Milderes Mittel

Jede Kündigung muss **verhältnismäßig** sein. Sie darf erst als Maßnahme erfolgen, wenn andere Reaktionsformen aussichtslos erscheinen. Eine Abmahnung stellt ein milderes Mittel als eine Kündigung dar. Daher sind bei verhaltensbedingten Kündigungen eine oder auch mehrere Abmahnungen oft sinnvoll. Vor einer Kündigung ist deshalb regelmäßig eine Abmahnung nötig. Erst wenn das beanstandete Verhalten dann wiederholt auftritt, ist eine Kündigung das richtige Mittel. Ob noch eine Abmahnung eine angemessene Reaktion auf das Fehlverhalten ist oder auch bei einem erstmaligen Verhalten schon eine Kündigung die richtige Reaktion ist, hängt davon ab, was der Beschäftigte falsch gemacht hat. Ein Faustschlag ins Gesicht der Vorgesetzten muss nicht abgemahnt werden. Angesichts dieses Fehlverhaltens ist eine Kündigung auch ohne Abmahnung eine angemessene Maßnahme, um dafür zu sorgen, dass es nicht wieder vorkommt.

> **Begriffserklärung:**
> Eine **Abmahnung** ist die mündliche oder schriftliche Kritik an einem konkret benannten Fehlverhalten des Beschäftigten (Rügefunktion), zusammen mit der Aufforderung, sich in Zukunft korrekt zu verhalten (Hinweisfunktion). Für den Fall, dass sich das Verhalten wiederholt, müssen arbeitsrechtliche Konsequenzen wie eine Versetzung oder Kündigung angedroht werden (Warnfunktion).
> Fehlt die Androhung von Konsequenzen, liegt lediglich eine sogenannte **Ermahnung** vor.

Berechtigung zum Abmahnen

Abmahnen kann jeder Vorgesetzte, der Anweisungen in dem Arbeitsbereich geben kann oder in Personalangelegenheiten entscheiden kann.

bb. Entbehrlichkeit einer Abmahnung

Eine Abmahnung kann entbehrlich sein. Das ist der Fall, wenn der Beschäftigte deutlich macht, das gerügte Verhalten auch in Zukunft fortzusetzen (»Eure Regeln gehen mir am Allerwertesten vorbei«). Entbehrlich kann eine Abmahnung auch sein, wenn die Pflichtverletzung besonders schwerwiegend oder vorsätzlich war – zum Beispiel bei einem körperlichen Angriff auf Vorgesetzte oder Kollegen. Denn in einem solchen Fall konnte der Beschäftigte bereits vor der Abmahnung selbstständig erkennen, dass eine solch schwere Pflichtverletzung von dem Arbeitgeber nicht hingenommen werden wird. Gibt es einen Verhaltenskodex im Unternehmen bildet dieser den Maßstab, was erwartbar nicht toleriert werden wird.

cc. Vorgehen gegen eine Abmahnung

Entfernung aus der Personalakte

Abmahnungen stellen nicht selten die Vorbereitung für eine Kündigung dar. Es kann daher ratsam sein, die Entfernung der Abmahnung aus der Personalakte rechtlich durchzusetzen (§§ 823, 1004 analog BGB).
Die Entfernung aus der Personalakte kann man fordern, wenn man abgemahnt wird, obwohl man sich nichts hat zu Schulden kommen lassen, oder wenn die Abmahnungen für die weitere Beurteilung des Beschäftigten überflüssig sind, z. B. weil die Abmahnungen schon älter sind oder der Beschäftige nicht mehr in einer Abteilung arbeitet, wo das gerügte Verhalten sich überhaupt wiederholen könnte.

Gegendarstellung

Der Beschäftigte kann auch eine Gegendarstellung zu der Abmahnung verfassen. Darin kann er darlegen, wie es wirklich war und dass ihm der Vorwurf zu Unrecht gemacht wird. Ebenso wie die Abmahnung ist die Gegendarstellung in die Personalakte aufzunehmen, § 83 Abs. 2 BetrVG. Die Gegendarstellung muss bei der Kündigungsentscheidung berücksichtigt werden.
Ist ein konkretes Verhalten abgemahnt worden, kann der Arbeitgeber diesen Verstoß nicht ein weiteres Mal – zum Beispiel als Kündigungsgrund – verwenden. Der Vorwurf ist dann sozusagen **»aufgebraucht«**.

Anhörung Arbeitnehmer

Übrigens kann der Beschäftigte vor der Abmahnung zu dem Sachverhalt angehört werden, muss es aber nicht. Der Betriebsrat ist an einer Abmahnung nur zwingend zu beteiligen, wenn es eine Betriebsvereinbarung oder ein Tarifvertrag vorsieht.

c. Sonderfall: Verdachtskündigung

Kein bewiesenes Fehlverhalten

Die Gerichte erlauben in Ausnahmen sogar Kündigungen, wenn nicht sicher ist, ob der Gekündigte schuldig ist oder nicht. Eine solche Verdachtskündigung ist eine besondere Form der personenbedingten Kündigung. Im Fall einer Verdachtskündigung behauptet der Arbeitgeber nicht, dass der Beschäftigte tatsächlich dies oder jenes getan hat, sondern dass er den

begründeten Verdacht hat, dass der Beschäftigte dies getan hat und deshalb die Vertrauensbasis unrettbar zerrüttet ist.
Da hier nichts bewiesen ist, der Beschäftigte aber dennoch seinen Arbeitsplatz und damit seine Existenzgrundlage verlieren soll, müsste hier eigentlich die Unschuldsvermutung gelten. Für Verdachtskündigungen fordern die Gerichte derzeit aber nur diese zusätzlichen Punkte:

- **Objektive Tatsachen** müssen den Verdacht begründen. Bloße Vermutungen oder Klatsch & Tratsch genügen nicht.
- **Dringender Verdacht:** Es muss eine große Wahrscheinlichkeit bestehen, dass der Beschäftigte die Tat begangen hat. »Erhärteter Verdacht«.
- **Vertragsverletzung von erheblichem Gewicht**: Die Tat muss so gravierend sein, dass sie, wenn sie bewiesen wäre, eine außerordentliche Kündigung rechtfertigen würde (Straftaten, sexuelle Belästigung).
- **Sachverhaltsaufklärung inkl. Anhörung**: Der Arbeitgeber muss alle zumutbaren Maßnahmen ergreifen und allen möglichen Hinweisen zur Aufklärung des Verdachts nachgehen. Dabei muss er auch zwingend den Beschäftigten anhören und ihm Gelegenheit geben, sich zu allen Verdachtsmomenten zu äußern. Die Verdachtsmomente müssen dafür ausreichend detailliert und vor allem vollständig genannt werden. Der Arbeitgeber muss bei Zeugen nachfragen, mögliche Alternativen checken, wer die Tat begangen haben könnte, usw.

d. Sonderfall: Druckkündigung

Kündigungsverlangen durch Belegschaft oder Kunden

Eine sogenannte Druckkündigung liegt vor, wenn entweder Kollegen oder externe Kunden oder Geschäftspartner die Kündigung eines Beschäftigten verlangen. Dabei kommt es vor, dass Kollegen androhen, ansonsten kollektiv selbst zu kündigen und den Betrieb zu verlassen. Kunden und Geschäftspartner können mit der Beendigung von Aufträgen oder mit dem Ende der Geschäftsbeziehungen drohen. Solch ein **Druck** kann für den Arbeitgeber so groß werden, dass er kündigen darf.

> **Beispiel:**
> Im Juli 2013 ging der Fall eines Hafenarbeiters durch die Presse. Er war wegen Missbrauch seiner 10-jährigen Stieftochter rechtskräftig verurteilt worden. Da er jedoch Freigang hatte, konnte er seinem Arbeitsverhältnis nachgehen und musste nur in seiner Freizeit zurück ins Gefängnis. Seine Kollegen haben sich nach der Verurteilung geweigert, weiter mit ihm zusammenzuarbeiten.

Fürsorgepflicht des Arbeitgebers

Grundsätzlich muss sich der Arbeitgeber jedoch bei Kritik **schützend** vor seine Beschäftigten stellen. Man darf nicht vergessen, dass hier kein Verstoß gegen arbeitsvertragliche Pflichten vorliegt. Bevor wirksam gekündigt werden kann, muss der Arbeitgeber sämtliche anderen Wege gehen, um den Konflikt zu beenden – zum Beispiel durch Aussprache, Mediation, Versetzung, etc. Außerdem müssen dem Arbeitgeber wirtschaftliche Schäden drohen, wenn er dem Druck nicht nachgibt.[68]
Weigern sich zum Beispiel Kolleginnen weiter mit einem Beschäftigten zusammen zu arbeiten, weil er wiederholt sexistische »Witze« macht und sie belästigt, fallen dessen Interessen weniger stark ins Gewicht als die der Kolleginnen. Er kann nicht verlangen, dieses Verhalten fortzusetzen. Lehnt ein Geschäftspartner es ab, mit einem muslimischen Sachbearbeiter oder einer Frau als Verhandlungsführerin zusammen zu arbeiten, wiegen die Interessen des Arbeitgebers, dieser Diskriminierung nachzugeben und zu kündigen, weniger schwer. Der Sachbearbeiter kann sich auf die Religionsfreiheit berufen und die Frau auf die Geschlechtergleichheit. In solch existenziellen Grundrechten müssen sich Menschen auch am Arbeitsplatz nicht beeinträchtigen lassen. Der Arbeitgeber muss sich schützend vor sie stellen.[69]
Kann der Beschäftigte zurecht auf seinem Verhalten bestehen, kann es dem Arbeitgeber zumutbar sein, die Konsequenzen durch die drohenden Anderen hinzunehmen.

4. Die betriebsbedingte Kündigung

Eine betriebsbedingte Kündigung ist wirksam, wenn
- ein dringender betrieblicher Grund vorliegt,
- der dazu führt, dass die Beschäftigungsmöglichkeit des Beschäftigten wegfällt,
- die Sozialauswahl korrekt durchgeführt wurde und
- die Interessenabwägung eine Kündigung stützt.

Checkliste zur betriebsbedingten Kündigung auf Seite 114f.

68 BAG 18.7.2013 – 6 AZR 420/12.
69 LAG Baden-Württemberg 20.11.2024 – 10 Sa 13/24.

a. Liegt ein dringender betrieblicher Grund vor?

aa. Unternehmerische Entscheidung

Bei einer betriebsbedingten Kündigung liegt der Anlass für die Kündigung nicht beim Beschäftigten, sondern in einer Entscheidung des Arbeitgebers, den Betrieb umzustrukturieren oder zu schließen. Der Grund für diese Entscheidung kann **innerhalb** oder **außerhalb** des Betriebs liegen. So kann beispielsweise die Umstellung auf eine neue Datenverarbeitung dazu führen, dass dauerhaft weniger Personal in der Verwaltung gebraucht wird (innerbetrieblicher Grund). Die dauerhafte Verschlechterung der Auftragslage oder Sparvorgaben können dazu führen, dass die Produktion dauerhaft reduziert wird und deshalb weniger Arbeitskräfte gebraucht werden (außerbetrieblicher Grund).

Ausgangslage für eine betriebsbedingte Kündigung ist also zum einen ein dringender betrieblicher Grund und eine Entscheidung des Arbeitgebers, wie er mit dieser Situation umgehen will.

Unternehmerische Entscheidungsfreiheit

Dem Arbeitgeber wird ein weiter Gestaltungsspielraum zugesprochen, wie er seinen Betrieb führen will. Er kann entscheiden, ob er einen Teil der Produktion verlagert oder stilllegt oder die Arbeitsabläufe ändert. Anders als bei verhaltens- oder personenbedingten Kündigungsgründen prüft daher das Gericht nicht bis ins Detail nach. Das Gericht bewertet nicht, ob die Entscheidung wirtschaftlich sinnvoll ist, es bessere Alternativen gegeben hätte oder ob die Umstrukturierung überhaupt notwendig ist. Die unternehmerische Freiheit bringt mit sich, dass der Unternehmer sein Unternehmen auch an die Wand fahren darf.

! **Die Gerichte lehnen lediglich betriebsbedingte Kündigungen ab, die auf offensichtlich willkürlichen oder unsachlichen Entscheidungen fußen (Missbrauchskontrolle), zum Beispiel ein Unternehmen umzustrukturieren, um einen missliebigen Betriebsrat loszuwerden.**

Auch wenn die Inhalte der Entscheidung selten gerichtlich überprüfbar sind, muss die Entscheidung ordnungsgemäß durch die zuständigen Personen oder Organe gefällt worden sein. Die Entscheidung muss ernstlich und **endgültig** getroffen worden sein, bevor gekündigt werden darf. Eine Betriebsstilllegung kann beispielsweise nicht endgültig behauptet werden, wenn es noch Vertragsverhandlungen mit potenziellen Investoren gibt.[70]

70 BAG 16.2.2012 – 8 AZR 693/87.

bb. Einzelfälle betriebsbedingter Gründe

- **Auftragsmangel:**
  Das Einsparen von Personal und damit von Kosten wird sehr häufig mit Absatzschwierigkeiten/Auftragsmangel oder zu geringen Gewinnen/nicht konkurrenzfähiger Profitabilität begründet.
  Auftragsmangel kann tatsächlich dazu führen, dass das vorhandene Personal nicht mehr ausgelastet ist, weil es nicht mehr genug Arbeit gibt. Auftragsmangel kann also zu Entscheidungen über betriebsbedingte Kündigungen führen.
- **Umsatzeinbußen, Verfehlen von Gewinnzielen:**
  Davon zu unterscheiden ist, wenn Personal lediglich deshalb eingespart werden soll, um höhere Gewinne zu erzielen. Umsatzrückgang oder das Nichterreichen von Gewinnzielen kann unterschiedliche Gründe wie beispielsweise ein Absinken des branchenweiten Preisniveaus haben. Dies bedeutet jedoch nicht, dass automatisch auch weniger Arbeit anfällt. Der Arbeitgeber kann diese Entwicklung zwar zum Anlass nehmen, eine unternehmerische Entscheidung - zum Beispiel Umorganisation der Arbeitsabläufe, so dass weniger Personal gebraucht wird - vorzunehmen. Der Umsatzrückgang oder das Verfehlen von Gewinnzielen an sich kann jedoch diese unternehmerische Entscheidung nicht ersetzen.
- **Sonderfall Insolvenz:**
  Geht das Unternehmen in die Insolvenz, ergeben sich allein daraus keine dringenden betrieblichen Erfordernisse, die Arbeitsverhältnisse zu beenden. Eine Insolvenz bildet aber oft den Anlass für Umstrukturierungen. In der Insolvenz gelten im Arbeitsrecht und darüber hinaus jedoch eine Vielzahl von Sonderregelungen, die hier nicht dargestellt werden können. Im Fall der Fälle ist daher dringend professionelle Unterstützung durch die Gewerkschaft, durch Betriebswirte und Rechtsanwälte zu suchen.

b. Wegfall der Beschäftigungsmöglichkeit

Keine alternative Beschäftigung

Als Folge der unternehmerischen Entscheidung muss die Beschäftigungsmöglichkeit für den einzelnen Beschäftigten wegfallen. Dabei geht es nicht darum, dass sein bisheriger Arbeitsplatz nicht länger in der bisherigen Form existiert. Das Arbeitsvolumen muss sinken. Der Beschäftigungsbedarf im gesamten Betrieb muss gesunken sein, so dass es für den Beschäftigten insgesamt keine Arbeit mehr gibt.

Gewisse Auftragsflauten, in denen das vorhandene Personal nicht voll eingesetzt werden kann, muss der Arbeitgeber überbrücken – auch wenn es in diesem Moment nicht profitabel ist.
Es dürfen somit keine zumutbaren Alternativen zur Kündigung bestehen. Alternativen können beispielsweise Kurzarbeit, Überstundenabbau, die Kündigung von Leiharbeitnehmern oder die Anordnung von Werksferien sein.
Lediglich dann, wenn sich die Lage auf **Dauer** wahrscheinlich nicht ändern wird, kann der Unternehmer Personal reduzieren.
Würde der geplante Personalabbau dazu führen, dass die verbleibenden Beschäftigten dauerhaft Überstunden leisten müssten, ist die Beschäftigungsmöglichkeit nicht weggefallen.[71]

Austauschkündigung

Die Weiterbeschäftigungsmöglichkeit entfällt nicht, wenn der Gekündigte im Anschluss durch **Leiharbeitnehmer** oder **»freie Mitarbeiter«** ersetzt wird, die seine Arbeit nahezu unverändert weitermachen. Solche Austauschkündigungen sind unwirksam.

Prognose im Zeitpunkt der Kündigung

Die Organisationsentscheidung muss im Zeitpunkt der Kündigung bereits **»greifbare Formen«** angenommen haben. Sprich, es muss sich schon eine konkrete Umsetzung andeuten, was zuvor unternehmerisch abstrakt entschieden wurde.[72]

Beispiel:
Werden also zum Beispiel zwei Betriebe zusammengelegt und dabei entschieden, dass es in Zukunft nur noch eine Personalabteilung geben soll, muss im Zeitpunkt der Kündigung schon feststehen, ab wann die eine Personalabteilung die Aufgaben der anderen übernimmt, bei welchem Unternehmen die neue Abteilung angesiedelt ist und welchen Personalbedarf die neue Personalverwaltung hat. Die Entscheidung allein, eine Personalabteilung zu schließen, reicht nicht aus. Es braucht einen **konkreten Plan**, wie und wann.

Die Beschäftigungsmöglichkeit muss zum Ende der Kündigungsfrist wegfallen. Es ist also möglich, dass während der Kündigungsfrist der Beschäftigte noch beschäftigt werden kann, aber bereits nach einer »vernünftigen betriebswirtschaftlichen Betrachtung« wahrscheinlich ist, dass er dies zum Ende der Kündigungsfrist nicht mehr sein wird. Die Kündigung beruht also auch hier auf einer **Prognose**. Wird ein Beschäftigter also am 1. März ordnungsgemäß zum 1. Oktober gekündigt, weil zum

---

71 LAG Hamm 27.1.2012 – 10 Sa 1410/11.
72 BAG 19.6.1991 – 2 AZR 127/91; BAG 13.2.2008 – 2 AZR 543/06.

1. September das Werk geschlossen werden soll, spricht es nicht gegen die Kündigung, dass für ihn den Sommer über noch Arbeit da ist. Anfang Oktober wird es aller Voraussicht nach keine Arbeit mehr für ihn geben. Ändert sich im Laufe der Kündigungsfrist die Prognose – kann der Betrieb zum Beispiel durch neue Investoren doch weiter produzieren, wird die Kündigung dadurch nicht unwirksam, die betroffenen Beschäftigten können aber einen **Anspruch auf Wiedereinstellung** haben.[73]

Anderer freier Arbeitsplatz im Unternehmen

Der Arbeitgeber darf nur kündigen, wenn es ihm generell unmöglich ist, den Beschäftigten – auch zu geänderten Bedingungen – weiter zu beschäftigen. Ist im Betrieb oder in einem anderen Betrieb innerhalb des Unternehmens ein **anderer Arbeitsplatz frei**, ist die Versetzung bzw. eine Änderungskündigung des Beschäftigten auf diesen freien Arbeitsplatz ein milderes Mittel. Eine betriebsbedingte Beendigungskündigung ist dann unverhältnismäßig und unwirksam.

Dem Arbeitgeber ist außerdem zuzumuten, den Beschäftigten gegebenenfalls weiterzubilden oder umzuschulen, damit er einen freien Arbeitsplatz ausfüllen kann. Wird zum Beispiel in der bisherigen Abteilung eine andere Verwaltungssoftware benutzt als in der Abteilung, in die der Beschäftigte auf einen freien Arbeitsplatz versetzt werden könnte, muss der Arbeitgeber dem Beschäftigen eine Weiterbildung zu der neuen Software anbieten.

Der freie Arbeitsplatz muss aber von der Tätigkeit und Qualifikationsstufe her vergleichbar sein. Die Leiterin der Rechtsabteilung kann also beispielsweise nicht auf einen freien Platz in der Produktion versetzt werden.

c. Stimmt die soziale Auswahl des Betroffenen (Sozialauswahl)?

Begriffserklärung:
Die Sozialauswahl ist die Bestimmung derjenigen Beschäftigten, die unter sozialen Gesichtspunkten am ehesten die betriebsbedingte Kündigung verkraften können. Sie sind insofern weniger schutzwürdig als ihre Kollegen. Durch die Sozialauswahl wird bestimmt, welche Kollegen gekündigt werden.

Kriterien der Sozialauswahl

Wird nur ein Teil der Belegschaft entlassen, fragt sich, wer genau gehen muss. Der Arbeitgeber darf dabei nicht frei Schnauze entscheiden. § 1 Abs. 3 KSchG sieht vor, dass eine betriebsbedingte Kündigung unwirk-

73 BAG 28.6.2000 – 7 AZR 904/98; BAG 25.5.2022 – 6 AZR 224/21.

sam ist, wenn der Gekündigte unter sozialen Gesichtspunkten falsch ausgewählt wurde. In der Sozialauswahl sind zu berücksichtigen:

- die Dauer der Betriebszugehörigkeit,
- das Lebensalter,
- die Unterhaltspflichten und
- die Schwerbehinderung des Beschäftigten.

Entlang dieser Merkmale sind alle vergleichbaren Beschäftigten zu bewerten und diejenigen zu kündigen, die in der Sozialauswahl am wenigsten schutzwürdig abschneiden.

Beispiel:
Eine alleinerziehende Mitarbeiterin mit zwei Schulkindern trifft eine Kündigung wesentlich härter als einen kinderlosen Single. Sie ist weniger flexibel und hat größere Probleme einen neuen Job zu finden und muss von dem Einkommen nicht nur sich, sondern zwei auf sie angewiesene weitere Personen durchbringen.

Eine Sozialauswahl ist überflüssig, wenn der gesamte Betrieb stillgelegt wird und alle Arbeitsverhältnisse gekündigt werden. Wenn aber nur einzelne Betriebsteile stillgelegt werden, muss die soziale Auswahl stattfinden. Denn einige Kündigungen können zum Beispiel durch Änderungskündigungen ersetzt werden. Dann muss die Sozialauswahl ergeben, wer seinen Arbeitsplatz behalten darf und wer gehen muss.

Kreis der vergleichbaren Beschäftigten

Von besonderer Bedeutung ist die Frage, welche Beschäftigten miteinander vergleichbar sind. Damit nicht die weniger qualifizierten oder ungelernten Kräfte durch die höheren Bildungs- und Qualifikationsschichten verdrängt werden, erfolgt die soziale Auswahl immer nur **innerhalb** der Gruppe von Beschäftigten, die untereinander vergleichbare Tätigkeiten ausüben. Die Beschäftigten müssen untereinander austauschbar sein. Danach müsste der eine Beschäftigte auf den Arbeitsplatz des anderen versetzt werden können. Ob eine Versetzung möglich ist, ergibt sich aus dem Arbeitsvertrag (vgl. Seite 39 ff.).

Beachtet werden kann, ob die Beschäftigten vergleichbar qualifiziert sind oder auf derselben Hierarchiestufe angesiedelt sind. Miteinander vergleichbar sind auch Beschäftigte, die aufgrund ihrer bisherigen Tätigkeiten und ihrer Ausbildung andersartige, aber **gleichwertige** Arbeiten machen.

Nicht zu beachten ist, ob die Beschäftigten eine gleiche Vergütung erhalten, gleich eingruppiert sind oder denselben Arbeitsort haben oder ob sie in Teilzeit oder in Vollzeit arbeiten.

Beispiel:
Zwei Sachbearbeiterinnen mit einer Ausbildung als Industriekauffrauen sind miteinander vergleichbar – obwohl die eine Vollzeit im Rechnungswesen arbeitet und die andere Teilzeit im Vertrieb.

Hinweis:
Während bei der Frage, ob ein anderer Arbeitsplatz frei ist, das gesamte Unternehmen – also mehrere Betriebe – zu berücksichtigen sind, wird der Kreis der vergleichbaren Beschäftigten nur im einzelnen Betrieb gezogen.

Ausnahmen von der Sozialauswahl

Nach § 1 Abs. 3 Satz 2 KSchG wird der Grundsatz der Sozialauswahl wieder aufgeweicht. Mit bestimmten Argumenten kann der Arbeitgeber einige Beschäftigte unabhängig von ihren Sozialdaten weiterbeschäftigen, zum Beispiel um eine altersdurchmischte Personalstruktur aufrechtzuerhalten. Diese Möglichkeit, von der Sozialauswahl abzuweichen, nutzen viele Arbeitgeber aus. So wird zum Beispiel argumentiert, dass »Leistungsträger« wegen ihrer besonders guten Arbeit unabhängig von ihren Sozialdaten weiter beschäftigt werden sollen. Als Betriebsrat gilt es bei der Ausnahme von »Leistungsträgern« gut aufzupassen. Der Arbeitgeber erklärt oftmals Beschäftigte zu Leistungsträgern, wenn er diese aus anderen Gründen behalten bzw. andere Beschäftigte loswerden will, die nicht ausgenommen werden. Es sollte gerade in der Betriebsratsanhörung zu Kündigungen im Punkt Sozialauswahl aufgepasst werden, ob alle vergleichbaren Personen erfasst sind. Werden einzelne als »Leistungsträger« ausgenommen, sollte eine stichhaltige Begründung gefordert werden, woran sich die (vermeintlich) besonders gute Leistung eines einzelnen Arbeitnehmers im Vergleich zu den anderen Arbeitnehmern festmacht. Eine weitere Frage ist auch, ob diese besonderen Fähigkeiten überhaupt für die Aufgabenstellung relevant sind. Es ist völlig irrelevant, wenn jemand fließend chinesisch spricht, der Arbeitgeber aber keine Kontakte nach China hat.

d. Stützt die Interessenabwägung die Kündigung?

Wie bei jeder Kündigung muss auch die betriebsbedingte Kündigung nach Abwägung aller Interessen notwendig und verhältnismäßig sein. Hierfür gelten auch bei der betriebsbedingten Kündigung die ab Seite 78ff. aufgeführten Grundsätze.

VI. Der Sonderkündigungsschutz

Besondere Personengruppen

Beschäftigte in besonderen Situationen haben einen Sonderkündigungsschutz. Der Sonderkündigungsschutz tritt neben den allgemeinen Kündigungsschutz hinzu und verstärkt diesen.
Der Sinn und Zweck ist es, Gruppen aus sozialen Gründen besser zu schützen. Unterscheiden lassen sich die Gruppen in zwei Bereiche: einmal die **Mandatsträger** und einmal Menschen, in **besonderen Lebenssituationen**. Darunter sind auch Personengruppen, die besonders häufig Gefahr laufen, gekündigt zu werden, weil sie vom Arbeitgeber nicht (mehr) erwünscht sind.

1. Mutterschutz

§ 17 MuSchG

Schon seit 1919 gibt es einen Sonderkündigungsschutz rund um Schwangerschaft und Geburt. Inzwischen regelt das Mutterschutzgesetz, dass die Kündigung schwangerer Menschen während der Schwangerschaft und bis mindestens vier Monate nach der Entbindung verboten ist. Im gleichen Zeitraum sind Maßnahmen zur Vorbereitung einer Kündigung unzulässig. Ausnahmsweise kann die Kündigung durch die für den Arbeitsschutz zuständige staatliche Behörde für zulässig erklärt werden, insbesondere im Rahmen von Massenentlassungen, deren Gründe mit der Schwangerschaft und der Schwangeren selbst nichts zu tun haben.[74]
Der Schutz erstreckt sich auch auf Fehlgeburten. Der Sonderkündigungsschutz kann auch nachträglich greifen: er gilt selbst dann, wenn der Arbeitgeber von der Schwangerschaft bei der Kündigung nichts wusste. Es reicht, wenn die Schwangere ihn nach der Kündigung informiert. Dann erhält sie den Sonderkündigungsschutz nachträglich. Die Kündigung ist wegen der Schwangerschaft unwirksam, weil der Arbeitgeber in Un-

74 EuGH 22.2.2018 – C-103/16.

kenntnis nicht die Zustimmung der Aufsichtsbehörde zur Kündigung einer Schwangeren eingeholt hat.
Diese nachträgliche Information funktioniert sogar, wenn die Schwangere selbst erst später von ihrer Schwangerschaft im Zeitpunkt der Kündigung (sicher durch ärztliche Untersuchung) erfährt.[75]

2. Familienbedingte Schutzzeiten

Elternzeit; Familienzeit

Eltern, die Elternzeit nach dem Bundeselterngeld- und Elternzeitgesetz beantragen, dürfen ab dem Zeitpunkt dieses Antrags nicht mehr ordentlich gekündigt werden. Der besondere Kündigungsschutz beginnt bei zu betreuenden Kindern im Alter bis drei Jahren frühestens acht Wochen vor Beginn der Elternzeit. Wird die Elternzeit für Kinder im Alter zwischen drei und acht Jahren genommen, beginnt der Schutz frühestens 14 Wochen vor Beginn der Elternzeit. Der Schutz endet mit Beendigung der Elternzeit. Ausnahmsweise kann eine Kündigung während des Schutzzeitraums jedoch durch die zuständige staatliche Stelle für Arbeitsschutz für zulässig erklärt werden. Unkündbar sind sie nicht.
Vergleichbaren Schutz erhalten Personen, die Zeiten nach den verschiedenen Pflegezeitgesetzen nehmen, um für Angehörige zu sorgen.

> **Hinweis:**
> Es muss also darauf geachtet werden, die Eltern- oder Pflegezeit nicht zu früh zu beantragen!

3. Schutz für schwerbehinderte und ihnen gleichgestellte Menschen

§ 168 SGB IX

§ 168 Sozialgesetzbuch IX (SGB IX) sieht einen besonderen Kündigungsschutz für schwerbehinderte Menschen und Menschen, die diesen gleichgestellt sind, vor.

---

75 BAG 3.4.2025 – 2 AZR 156/24.

> **Begriffserklärung:**
> Menschen sind laut dem SGB IX behindert, wenn ihre körperliche Funktion, geistige Fähigkeit oder seelische Gesundheit mit hoher Wahrscheinlichkeit länger als sechs Monate von dem für das Lebensalter typischen Zustand abweichen und daher ihre Teilhabe am Leben in der Gesellschaft beeinträchtigt ist.

Als schwerbehindert gilt, wer einen **Grad der Behinderung von 50** oder mehr aufweist. Einem schwerbehinderten Menschen gleichgestellt werden kann, wer einen Grad der Behinderung von wenigstens 30 hat und Gefahr läuft, wegen der Behinderung seinen Arbeitsplatz zu verlieren. Der Grad der Behinderung wird auf Antrag der Person durch das Landesversorgungsamt festgestellt und im Schwerbehindertenausweis festgehalten, § 152 SGB IX.

a. Zustimmung des Integrationsamtes

§§ 168, 172 SGB IX

Soll ein schwerbehinderter Mensch gekündigt werden, muss das zuständige Integrationsamt zustimmen. Das Integrationsamt prüft, ob wegen der Behinderung gekündigt wird. Seine Aufgabe ist es, Kündigungen zu stoppen, wenn sie auf Diskriminierung beruhen. Hört der Arbeitgeber das Integrationsamt nicht an oder stimmt dieses nicht zu, ist die Kündigung unzulässig.

Wird eine Kündigung ausgesprochen, ohne dass der Arbeitgeber von der Behinderung gewusst hat, kann der schwerbehinderte Beschäftigte innerhalb von drei Wochen[76] den Arbeitgeber hierüber informieren. Dann wird ihm der besondere Schutz rückwirkend zuteil.

Der Sonderkündigungsschutz wird auch angewendet, wenn der betroffene Beschäftigte mindestens drei Wochen vor Zugang der Kündigung einen Antrag auf Feststellung der Schwerbehinderung bzw. der Gleichstellung gestellt hat.[77]

b. Kündigungsgrund

Erhöhte Anforderungen

An den Kündigungsgrund werden im Fall von schwerbehinderten Beschäftigten erhöhte Anforderungen gestellt. Eine Kündigung ist nur wirksam, wenn der Arbeitgeber nicht imstande ist, durch angemessene

---

76 BAG 11.12.2008 – 2 AZR 395/07.
77 BAG 2.6.2022 – 8 AZR 191/21.

Maßnahmen dafür zu sorgen, dass der schwerbehinderte Mensch doch weiterarbeiten kann.[78]
Ausschlaggebend für die Beurteilung beispielsweise einer personenbedingten Kündigung ist deshalb nicht der ursprünglich ausgeschriebene Arbeitsplatz, sondern der Arbeitsplatz, wie er mit verhältnismäßigem Aufwand entsprechend den Fähigkeiten und Bedürfnissen des betroffenen Beschäftigten **geändert** werden kann – zum Beispiel durch einen speziellen Schreibtisch oder die Veränderung von Arbeitsabläufen, so dass der Beschäftigte nicht mehr schwerer als 10 Kg heben muss.
Der Status als schwerbehinderter oder gleichgestellter Mensch ist auch bei der Interessenabwägung zugunsten des Beschäftigten zu berücksichtigen. Zudem stellt er in der Sozialauswahl einen zusätzlichen sozialen Faktor dar.

4. Weitere besonders geschützte Personengruppen

a. Betriebsräte, Personalräte

Näheres zum Kündigungsschutz in Band 4

Damit der Arbeitgeber Beschäftigte, die sich als Betriebsräte engagieren, nicht durch eine Kündigung sanktionieren und »loswerden« kann, genießen Betriebsräte, Personalräte, Jugend- und Auszubildendenvertreter, Wahlvorstandsmitglieder und Wahlinitiatoren einen besonderen Kündigungsschutz.

b. Auszubildende

§ 22 BBiG

Nach Ablauf der Probezeit von mindestens einem, maximal vier Monaten sind Auszubildende nur noch aus wichtigem Grund kündbar. Bei Konflikten und ggf. einer Beendigung beraten auch die Berufsschulen oder Berufsverbände.

c. Mandatsträger

Wer in Bundestag, Landtag, Kommunalparlament oder der kommunalen Ausländervertretung ein Mandat wahrnimmt, ist ordentlich nicht kündbar.

78 EuGH 11.4.2013 – C-335/11.

d. Wehrdienstleistende

§ 2 ArbPlSchG Wer freiwillig Wehrdienst leistet, ist ab Zustellung der Dienstantrittsaufforderung (früher: Einberufungsbescheid) nicht mehr ordentlich kündbar. Der Sonderkündigungsschutz endet mit Beendigung des Wehrdienstes.

Anhang 1
Checkliste Personenbedingte Kündigung

I. Personenbedingter Kündigungsgrund

= Persönliche Eigenschaften und Umstände, die der Betroffene nicht steuern kann, z. B.

- eine lang andauernde Krankheit oder häufige Kurzzeiterkrankungen
- Suchterkrankungen
- Verbüßen einer Haftstrafe
- Fehlende Eignung/fachliche Qualifizierung (»Nicht-Können«)
- Sonderfall: Verdachtskündigung (Verdacht auf ein Fehlverhalten, dass wenn es bewiesen wäre, eine außerordentliche verhaltensbedingte Kündigung rechtfertigen würde); hohe weitere Anforderungen

II. Negative Zukunftsprognose

- Wiederholungsgefahr (z. B. bei häufigen Kurzzeiterkrankungen)
- bei Langzeiterkrankung: nicht absehbar, wann die Arbeitsfähigkeit wieder hergestellt sein wird

III. Erhebliche Beeinträchtigung betrieblicher Interessen

1. Betriebsablaufstörungen, z. B.
   - Einstellung der Produktion
   - Kaum planbare Schwierigkeiten in der Schichtplanung
2. Wirtschaftliche Belastungen, z. B.
   - wiederholt mehr als 6 Wochen Lohnfortzahlung im Krankheitsfall bei häufigen Kurzzeiterkrankungen

IV. Verhältnismäßigkeit der Kündigung

= Kündigung als letztes Mittel?

1. Mittel zur Vermeidung einer Kündigung
   - Versetzung oder Arbeitsplatztausch
   - Schaffung eines leidensgerechten Arbeitsplatzes
   - Überbrückungsmaßnahmen im Betrieb bis zur Besserung (z. B. befristete Ersatzkraft, Überstunden durch andere Beschäftigte)

2. Faktoren für die Interessenabwägung
   - Dauer der Betriebszugehörigkeit, Alter, Unterhaltspflichten
   - bisheriger störungsfreier Verlauf des Arbeitsverhältnisses
   - betriebliche Ursachen für die Situation (Berufskrankheit, -unfall)
   - Vergleich mit betrieblicher Krankenquote
   - betriebliches Eingliederungsmanagement (BEM)

Anhang 2
Checkliste Verhaltensbedingte Kündigung

I. Verhaltensbedingter Kündigungsgrund

= steuerbares Verhalten des Betroffenen

1. Verstoß gegen arbeitsvertragliche Pflicht, z. B.
   - Arbeitsverweigerung; dauerhaft schlechte Arbeitsleistung (»Nicht-Wollen«)
   - Selbstbeurlaubung
   - Diskriminierung oder Belästigung von Beschäftigten
   - Straftaten gegen den Arbeitgeber
2. Keine Rechtfertigung des Verstoßes, z. B.
   - Arbeitsverweigerung bei illegaler oder gesundheitsschädlicher Arbeit = Rechtfertigung
   - bei Zwangslagen wegen Glaubens- oder Gewissenskonflikten
3. Verschulden/Vorwerfbarkeit
   - Vorsatz
   - Fahrlässigkeit
4. Negative Zukunftsprognose
   - Kündigung ist keine Sanktion für vergangenes Verhalten
   - Wiederholungsgefahr

II. Interessenabwägung/Verhältnismäßigkeit der Kündigung

- Kündigung als letzte Möglichkeit
- Prüffrage: Würde eine Abmahnung als milderes Mittel ausreichen, um eine Wiederholungsgefahr auszuschließen?
- Soziale Abwägung aller Umstände
- Sonderfall: Druckkündigung

Anhang 3
Checkliste Betriebsbedingte Kündigung

I. **Betriebsbedingter Kündigungsgrund**
   = dringender betrieblicher Grund, z.B.
   - Auftragsmangel führt zur Schließung einer Produktionslinie
   - auf Umsatzrückgang wird mit neuem Personalkonzept reagiert
   - Betriebs(teil)stilllegung, z.B. Verlagerung von Abteilungen

II. **Wegfall der Beschäftigungsmöglichkeit**
   1. Keine Weiterbeschäftigung in anderem Betrieb des Unternehmens möglich
   2. Keine Alternativen zur bisherigen Beschäftigung, z.B. durch
      - Kurzarbeit
      - Abbau von Überstunden
      - Kündigung von Leiharbeitnehmern
      - Anordnung von Werksferien
   3. Beurteilungszeitpunkt/Prognose
      a. Beurteilung anhand der Tatsachen bei Zugang der Kündigung
      b. Beschäftigungsmöglichkeit entfällt (spätestens) mit Ablauf der Kündigungsfrist

III. **Sozialauswahl**
   1. Kriterien
      a. Dauer der Betriebszugehörigkeit
      b. Lebensalter
      c. Unterhaltspflichten
      d. Schwerbehinderung
      e. Herausnahme bestimmter Personen aus der Sozialauswahl wegen:
         - besonderer Kenntnisse, Fähigkeiten (»Leistungsträger«)
         - Sicherung einer ausgewogenen Personalstruktur
   2. Personen, die eine Vergleichsgruppe bilden
      a. Vergleichbarkeit der Tätigkeit (horizontale Vergleichbarkeit auf derselben Ebene der Betriebshierarchie)
      b. keine Einbeziehung bei Probezeit
      c. Beachtung von Sonderkündigungsschutz

IV. Interessenabwägung

V. Evtl. Anspruch auf Wiedereinstellung

= bei Änderung der Prognose im Laufe der Kündigungsfrist (z.B. aufgrund neuer Investoren)

Anhang 4
Übersicht Teilzeitanspruch

I. **Voraussetzungen**
   1. Mindestbetriebsgröße mehr als 15 Arbeitnehmer (45 bei »Brückenteilzeit«)
   2. Mindestbeschäftigungszeit 6 Monate
   3. Erneute Reduktion für Teilzeitbeschäftigte erst nach 2 Jahren (teilweise nach 1 Jahr bei »Brückenteilzeit«)

II. **Arbeitnehmerwunsch nach Teilzeit**
   1. Kontakt mit dem Betriebsrat/Personalrat
   2. Verringerungsverlangen i. S. d. Gesetzes
   3. Erörterung mit dem Arbeitgeber
   4. Bisherige Arbeitszeit
      - bisherige Wochenarbeitszeit
      - regelmäßige Überstunden
      - Verteilung der Arbeitszeit
   5. Künftige Arbeitszeit
      - Reduzierungsvolumen
      - Reduzierung auf Dauer oder für begrenzten Zeitraum (»Brückenteilzeit«)?
      - mögliche Verteilung der neuen Arbeitszeit (Alternativen mit persönlichen Prioritäten)
      - Kürzung der Arbeit an einzelnen/allen Tagen oder Arbeit an weniger Tagen?

III. **Ablehnungsgründe des Arbeitgebers**
   - Ist-Zustand der betrieblichen Organisation
   - Wesentliche Beeinträchtigung der Organisation, des Arbeitsablaufs oder der Betriebssicherheit durch Teilzeitwunsch, z. B.
     - Fehlende Ersatzkraft (Mangelberuf bzw. konkrete Arbeitsmarktlage)
     - Unentbehrlichkeit des Arbeitnehmers (Vertrauensstellung, persönliche Bedeutung für Geschäftspartner, Behörden etc.)

  - Genereller Ausschluss von Teilzeitarbeit im Betrieb Erheblichkeit der betrieblichen Gründe
- Menge der Anträge bei »Brückenteilzeit« (Staffel § 9a Abs. 2 TzBfG)

IV. Verteilung des freiwerdenden Arbeitsvolumens

1. Aufstockung der Arbeitszeit bei interessierten Kollegen
2. Tausch mit interessierten Kollegen
3. Umorganisation der Abteilungsarbeit (Reduktion, Effektivierung)
4. Einstellung einer Ersatzkraft von außen

Quelle: Anlehnend an Kittner, Arbeits- und Sozialordnung, 51. Auflage 2026, Checkliste 76.

Anhang 5
Übersicht Befristung

Teilzeit- und Befristungsgesetz
Übersicht: Befristung

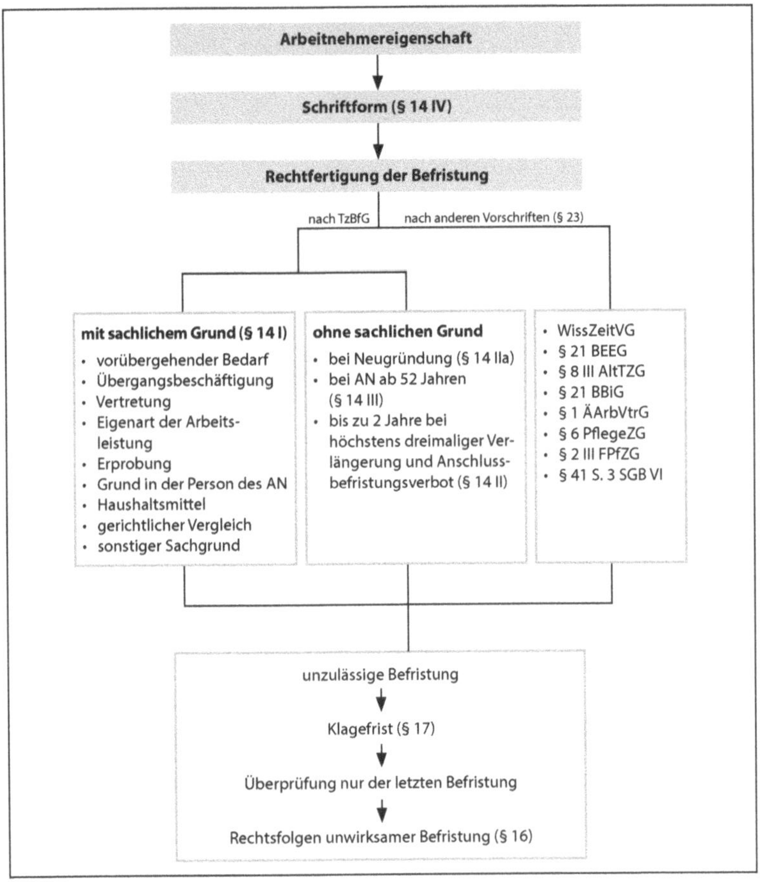

Quelle: Kittner, Arbeits- und Sozialordnung, 51. Auflage 2026, Übersicht 76a.

Stichwortverzeichnis

Kompetenz verbindet

Kittner

Arbeits- und Sozialordnung 2026

Gesetze, Einleitungen, Übersichten – inklusive Online-Zugriff auf Inhalte, Gesetze, Rechtsprechung im Volltext
51., neu bearbeitete und aktualisierte Auflage
2026. 1.896 Seiten, kartoniert
€ 50,–
ISBN 978-3-7663-7600-8

Gesetze plus Orientierung und auf neuestem Stand – das ist seit über 50 Jahren die Erfolgsformel des jährlich neu aufgelegten »Kittner«. Einleitungen vor den einzelnen Gesetzen informieren über Entstehung, Entwicklung und Inhalte des Gesetzes und erörtern aktuelle Rechtsfragen. Der »Kittner« ist unerlässlich für alle, die über das gesamte Arbeits- und Sozialrecht auf aktuellem Stand informiert sein müssen.

Ihr Anspruch: »Jedes Betriebsratsmitglied hat ein Recht auf sein eigenes Exemplar in der neuesten Auflage.« (LAG Schleswig-Holstein v. 11.4.1995 – 1 TaBV 4/95, bestätigt durch BAG v. 24.1.1996 – 7 ABR 22/95)

Bund-Verlag